LES ENFANTS D'UN AUTRE CIEL

LE FEU DE LA VENGEANCE

Tome 1

Martin Charbonneau

Éditeur : François Doucet
Révision linguistique : Féminin Pluriel
Correction d'épreuves : Nancy Coulombe, Marie-Yann Trahan
Design de la couverture : Tho Quan
Illustrations de la couverture : Mylène Villeneuve
Illustrations de l'intérieur : Mylène Villeneuve
Mise en pages : Sébastien Michaud
ISBN Papier 978-2-89667-104-5
ISBN Numérique 978-2-89683-051-0
Première impression : 2010
Dépôt légal : 2010
Bibliothèque et Archives nationales du Québec
Bibliothèque Nationale du Canada

Éditions AdA Inc.
1385, boul. Lionel-Boulet
Varennes, Québec, Canada, J3X 1P7
Téléphone : 450-929-0296
Télécopieur : 450-929-0220
www.ada-inc.com
info@ada-inc.com

Diffusion
Canada :   Éditions AdA Inc.
France :   D.G. Diffusion
             Z.I. des Bogues
             31750 Escalquens — France
             Téléphone : 05.61.00.09.99
Suisse :   Transat — 23.42.77.40
Belgique :   D.G. Diffusion — 05.61.00.09.99

Imprimé au Canada

Participation de la SODEC.
Nous reconnaissons l'aide financière du gouvernement du Canada par l'entremise du Programme d'aide au développement de l'industrie de l'édition (PADIÉ) pour nos activités d'édition.
Gouvernement du Québec — Programme de crédit d'impôt pour l'édition de livres — Gestion SODEC.

Catalogage avant publication de Bibliothèque et Archives nationales du Québec et Bibliothèque et Archives Canada

Charbonneau, Martin, 1972-

    Les enfants d'un autre ciel
    Pour les jeunes de 14 ans et plus.
    ISBN 978-2-89667-104-5 (v. 1)

I. Titre.

PS8603.I465E53 2010   jC843'.6   C2010-940773-3
PS9603.I465E53 2010

LE FEU DE
LA VENGEANCE

Remerciements

Je tiens à remercier tous ceux qui ont lu et critiqué les versions préliminaires de cette aventure fantastique. Un merci particulier à : Rick Ouellet, Caïthness, Élise Sirois-Paradis, Félix Martel-Denis et Vincent Leclerc.

Leurs commentaires constructifs m'ont permis d'améliorer l'ouvrage et de rendre les aventures de Miya et Siya encore plus palpitantes. Si vous désirez faire partie de l'équipe d'évaluation des tomes futurs de la série, ou simplement parler avec l'auteur, inscrivez-vous au forum **SeriesFantastiques.com**. Bonne lecture !

Prologue

Quelques instants dans une vaste existence...

Le réveil, après tant de siècles, se fit dans la colère. Il se souvenait de leur défaite totale et irrévocable, de la mort de leurs projets glorieux à la surface de cet astre maudit. La fin naturelle de la Grande Intersection l'avait condamné au sommeil, et, durant cette longue torpeur, sa fureur n'avait fait que croître.

Il était revenu à la vie, fou de rage.

Pour assouvir sa colère, il avait tué. Il se promettait de tuer encore. Il n'aurait jamais de cesse. Il massacrerait tous les enfants de ce peuple maudit, afin que plus jamais ils ne salissent de leur présence le monde qui aurait dû être sien.

Yoolvh ne se demandait même pas pourquoi il était revenu.

Pourtant, au plus creux de son subconscient, il commençait déjà à comprendre. Les engrenages complexes du destin allaient bientôt faire pencher la balance cosmique en leur faveur. Ils auraient une nouvelle chance.

Une nouvelle chance de réaliser leur potentiel de gloire suprême...

Il survient parfois une intersection.

Personne ne s'en rend compte. Les sens humains ne sont pas ouverts aux dimensions spatiales qui existent au-delà de l'Univers, aux réalités indescriptibles des mondes qu'on appelle les « surdimensions ».

Toutefois, il existe d'autres sens.

Et là où ils s'éveillent, parfois, une aventure commence.

PREMIÈRE PARTIE

Le saccage de Nieslev

Miyalrel

Le plus jeune Chevalier de l'histoire des Cent Royaumes est un sinléya hors pair. Son courage le destine à devenir un grand héros.

Chapitre 1

Le grand prêtre Qinlleh entra tranquillement dans la vaste salle où les autres membres du clergé étaient déjà rassemblés. Tout était prêt pour la cérémonie. Elle aurait bientôt lieu de l'autre côté de la ville, dans le temple du Monument, qui était l'un des symboles de fierté de Nieslev.

En ce jour, semblable à chaque année, les meilleurs jeunes apprentis du royaume de Tenshâ et des fiefs voisins seraient reçus dans les rangs prestigieux des chevaliers de l'Empire. À partir de ce moment, ils mettront leurs prouesses guerrières au service respecté des Cent Royaumes de Ziellnis.

— La 235e cérémonie du Monument de Nieslev commencera dans une heure, annonça Qinlleh. C'est la plus prometteuse depuis longtemps.

Jixel, le second prêtre du temple des Ancêtres, après Qinlleh, lui-même, hocha la tête.

— J'en ai entendu parler. Nous avons d'excellents candidats cette fois-ci. Trois combattants de génie : une jeune femme qui est déjà la plus grande héroïne de son Royaume, les Frères du Feu, eux-mêmes, et le garçon qui sera le plus jeune chevalier de l'histoire de l'Empire. Quel âge a-t-il au juste ? Quatorze ans ?

— Treize, précisa Qinlleh.

— Ça alors ! souffla Jixel. Comment a-t-il réussi les épreuves à cet âge ?

Le vieux sage avait un curieux sourire aux lèvres, mais personne ne l'avait encore remarqué. Des murmures effarés parcouraient l'assemblée. *Treize ans ?* Ce garçon n'était encore qu'un enfant !

— Ce n'est pas tout. Savez-vous qu'il est à moitié Xinjis Râ ?

Certains tressaillirent, tandis que d'autres, qui étaient vraisemblablement au courant, hochèrent la tête. La rumeur s'était déjà répandue. Qinlleh aurait été surpris, si nul prêtre du temple des Ancêtres n'en avait eu vent. Le garçon dont ils parlaient était un petit sang-mêlé xinjis râ.

Les Xinjis Râ étaient l'énigme des Cent Royaumes de Ziellnis. On disait que leur peuple était terriblement ancien; certains les appelaient même le « peuple ancestral », même si tous savaient que les hommes de Ziellnis n'étaient pas leurs descendants. L'explication était peut-être liée aux événements de la Première Ère, à ces guerres oubliées dont les Cent Royaumes ne s'étaient jamais pleinement relevés. Plus personne ne le savait. Même les Xinjis Râ n'étaient plus au courant. L'origine réelle de leur peuple restait donc inconnue.

Ces hommes étaient étonnants à voir. Nés avec des cheveux bleus comme le ciel, ils étaient facilement identifiables dans n'importe quelle foule. À la base du cou, dans le creux de la gorge, ils portaient une structure cristalline, translucide, bleue ou turquoise, selon l'individu. Personne ne savait à quoi servaient ces pierres, pas même les Xinjis Râ. On savait simplement que les gemmes bleutées, appelées « *xishâzen nâ* » — « le vrai temps d'une vie » —, pouvaient entraîner la mort, si elles étaient endommagées ou brisées.

Les Xinjis Râ n'étaient pas très nombreux. Parfois, ils épousaient des hommes et des femmes issus d'autres races, mais, invariablement, les enfants nés de ces unions étaient faibles et maladifs, condamnés à une vie difficile et beaucoup trop courte. En outre, seules les mères xinjis râ pouvaient donner naissance à ces métis. Une femme d'un autre peuple ne pouvait accoucher d'un enfant de sang-mêlé ; tous ces bébés étaient mort-nés.

Les xishâzen nâ avaient forcément quelque chose à y voir. Elles étaient probablement nécessaires à la naissance des enfants de la race. Les femmes humaines n'en possédant pas, les conséquences étaient tristement bien documentées : jamais un enfant de descendance mixte n'était né d'une mère humaine.

Tout cela, cependant, n'empêchait pas l'amour entre une femme des Cent Royaumes et un homme du peuple de

Xinjis Râ. Ces derniers, avec leurs cheveux azur et leurs traits raffinés, étaient souvent très attirants. Et un miracle pouvait toujours se produire...

La prêtresse Inylia était une femme du peuple des Xinjis, l'une des deux seules dans le temple des Ancêtres. Ce fut elle qui parla la première.

— Un enfant métis, un Xinjis Râ... qui deviendra chevalier à l'âge de treize ans... Ça alors ! Je croyais que nos sang-mêlé étaient toujours chétifs et fragiles. Il y avait bien le petit Miyalrel, qui était venu au Temple voilà six mois, mais j'ai toujours cru qu'il était une exception. Il y en aurait d'autres comme lui ?

Le sourire de Qinlleh s'était élargi. Inylia n'avait pas encore compris. Pourtant, elle avait connu Miyalrel et son talent formidable à manier la sinlé, cette arme à deux lames que les Xinjis Râ avaient inventée dans un lointain passé.

— Notre jeune chevalier n'est pas chétif, loin de là. C'est tout le contraire.

Sais-tu qu'il est le fils de Viyenrel, neu-vième du nom? Le héros de l'incendie de Xrinis?

En entendant cela, le prêtre Jixel sursauta violemment.

— Le fils de Viyenrel?... Mais alors, s'il est Métis, sa mère était humaine?

Qinlleh hocha la tête.

— Tout juste. Notre petit prodige est un enfant de la prétendue « race impossible ». Le seul dans tous les Cent Royaumes, à ma connaissance.

— A-t-il une xishâzen nâ? demanda Inylia, avec un intérêt renouvelé.

Qinlleh souriait toujours. Inylia n'avait pas encore fait le rapproche-ment.

— Une xishâzen nâ et des cheveux bleus, comme tous les petits Xinjis Râ. Mais ses cheveux à lui sont parsemés de mèches blondes. Il attire l'attention, le petit chevalier. Surtout, étant donné son habileté à se servir de la sinlé. Vous savez qu'il sera le chevalier d'honneur de la 235e Cérémonie? Il a un talent incroyable.

— D'où vient-il? demanda un autre prêtre.

— De cette ville même, affirma Qinlleh.

Le vieux prêtre n'arrêtait pas de sourire. Personne n'avait encore compris.

— En fait, je ne connais pas son lieu d'origine. Probablement de Xrinis, puisque son père Viyenrel y vit toujours. Mais il voyageait seul, quand je l'ai vu au temple des Ancêtres pour la première fois. Il n'avait que 8 ans. J'y ai consacré un bon bout de temps, et j'ai fini par gagner sa confiance. J'ai alors appris que Viyenrel n'avait rien d'un héros. Il s'était enfui de chez lui, pour ne plus être battu.

Jixel gratta distraitement sa barbe.

— Alors, notre chevalier d'honneur est essentiellement un orphelin. Pas très ordinaire, cet enfant-là, n'est-ce pas?

Qinlleh acquiesca.

— Le seul fait qu'il soit de descendance xinjis râ! Il n'a vraiment rien d'ordinaire, cela va sans dire. Un enfant de la race impossible, qui a vécu sans mourir jeune, qui s'est enfui de chez lui à 8 ans, et qui a trouvé le moyen de devenir, non seulement un vrai champion de la sinlé, mais aussi le plus jeune chevalier de toute l'histoire des Cent Royaumes. Non, je n'ai jamais vu un enfant moins ordinaire que notre petit Miyalrel.

Qinlleh avait cité son nom tout bonnement, sans y mettre la moindre emphase, comme si c'était le nom d'un inconnu. Inylia eut un sursaut.

— Miyalrel ! On parle du même Miyalrel ? Celui qui venait nous voir au Temple ?

L'un des prêtres de l'assemblée se tourna vers elle.

— Que veux-tu dire ?

— Comment ai-je fait pour ne pas faire le lien ? Qinlleh, tu te jouais de moi ! Un petit garçon aux cheveux bleus et blonds ! Je le connais ! Il venait souvent ici, pour voir Siyanlis. Ils étaient les meilleurs amis du monde. Mais…

Perplexe, Inylia se tourna vers Qinlleh.

— Cela fait quand même un bout de temps qu'on ne l'a pas vu, n'est-ce pas?

Nouveau sourire du vieux clerc. Il souriait souvent, aujourd'hui.

— Il est parti tenter sa chance aux Épreuves de la gloire d'Inexell. Elles avaient lieu il y a une cinquantaine de jours.

— Parlons-en, dit sardoniquement Jixel. C'est le seul temps où les touristes n'envahissent pas Nieslev, pour aller prier devant les Reliques du temple des Ancêtres.

— Notre petit Miya est allé aux Épreuves de la gloire? A-t-il été accepté?

— Accepté? Il a remporté la palme au maniement de la sinlé. On n'avait jamais vu rien de pareil à Inexell. On lui a même suggéré de passer les épreuves pour devenir chevalier. Il l'a fait. Juste comme cela. À 13 ans.

Inylia lâcha un sifflement d'admiration.

— Je savais qu'il avait du talent, mais de là à…

Qinlleh se leva.

— Bon, le temps file. Nous allons devoir nous rendre au temple du Monument, sinon la cérémonie commencera sans nous. Ce serait plutôt mal vu.

— Il nous reste plus d'une demi-heure, dit calmement Jixel. De toute façon, nous avons un jeune visiteur.

Le vieux Jixel avait parlé sur un ton doux. Il désignait du menton la porte, où une petite fille écoutait la conversation avec attention. Inylia eut un sourire tendre.

— Siyanlis… Viens ici.

La fillette avança timidement et prudemment, afin de ne pas tomber. Elle avait été recueillie par le temple des Ancêtres peu après sa naissance ; on l'avait laissée sur les marches par une nuit pluvieuse. Elle était l'une de ces enfants chétives, maladives, nées de l'union tragique entre une Xinjis Râ et un homme des Cent Royaumes. De plus en plus frêle et pâle, Siyanlis glissait lentement vers la mort de jour en jour.

Elle avait 9 ans. Tous savaient qu'elle ne fêterait jamais son 10ᵉ anniversaire.

La fillette aux cheveux bleus esquissa un faible sourire.

— Miya va devenir le meilleur chevalier du monde, affirma-t-elle avec la certitude et l'innocence des enfants. Je veux qu'il soit là quand je vais mourir.

Inylia laissa la petite fille fragile s'appuyer contre elle.

— C'est ton meilleur ami, n'est-ce pas, Siya?

L'enfant hocha la tête.

— Alors, il sera là, affirma la jeune prêtresse.

Qinlleh la rassura à son tour.

— Je sais qu'il t'aime beaucoup. Il t'appelle sa petite sœur. Au fond, il n'a pas entièrement tort. Vous êtes tous les deux des enfants xinjis râ qui ont été rejetés par leurs parents. C'est le destin qui a voulu votre amitié.

Les prêtres dans la salle avaient commencé à se lever. Sous peu, la 235ᵉ Cérémonie commencerait au temple du Monument, de l'autre côté de la ville. Il fallait que les officiants s'y rendent avant le début des formalités. Ils ne pouvaient plus tarder davantage.

Qinlleh ébouriffa les cheveux de la petite fille qui allait hâtivement les quitter à jamais.

— Il sera là. Il te verra partir pour ton voyage vers Inyëlh.

Le grand prêtre se retourna et marcha vers la porte. Son sourire réconfortant se changea en moue de tristesse. Siyanlis était une fillette intelligente, courageuse et charmante. Rongée et affaiblie par la maladie depuis sa naissance, alitée un jour sur deux, elle avait l'apparence d'une enfant délicate de 6 ou 7 ans. Bientôt trop faible, pour continuer à lutter, elle s'éteindrait paisiblement.

Qinlleh regrettait amèrement son impuissance. Siya ne méritait pas son destin cruel. Pas plus que les autres enfants comme elle.

Miyalrel… Quelle exception étonnante…

Y avait-il une explication? Ou s'agissait-il de la volonté des dieux d'Inyëlh?

Le vieux sage aurait pu y songer longtemps, si les murs du temple des Ancêtres n'avaient pas explosé à ce moment précis, balayant tous les occupants de la pièce, comme autant de brindilles dans le vent.

Chapitre 2

Il y avait foule autour du temple du Monument, en face duquel les futurs chevaliers se dressaient fièrement, attendant le début de la cérémonie qui leur conférerait officiellement ce titre. Miyalrel était au premier rang, une présence étonnante parmi les autres.

Il était impossible pour le jeune garçon de passer inaperçu.

Pour commencer, il y avait ses cheveux. Bleus comme un ciel sans nuages, striés de mèches blondes, ils étaient sans doute uniques dans tous les Cent Royaumes. Les hommes les plus âgés avaient beau fouiller dans leurs souvenirs, dans les paroles et les écrits de leurs propres ancêtres, ils n'arrivaient pas à trouver une autre mention d'un Xinjis Râ né d'une mère humaine. Miyalrel, ou Miya, comme il aimait se faire appeler, était le premier et le seul.

Ensuite, il y avait son âge. Même s'il avait à peine franchi le seuil de l'adolescence, Miya était probablement le meilleur sinléya de sa génération. Il avait tenu tête au maître Xis, par tous les dieux, et le vieux fou n'y était pas allé de main morte!

Enfin, il y avait ses yeux. Ils suivaient le même motif que ses cheveux: bicolores. Ils étaient turquoise, mais alors que l'un tirait sur le vert, l'autre tendait vers le bleu.

Décidément, le garçon avait tout pour attirer l'attention.

Autour de lui se groupaient les autres futurs chevaliers de la 235e cérémonie du Monument de Nieslev. En plus de Miya, 24 nouvelles recrues attendaient de recevoir la distinction d'une étoile de bronze, qui ferait d'eux des membres officiels de l'Ordre prestigieux. Parmi eux se trouvaient trois combattants d'élite, aussi habiles que Miyalrel, quoique plus âgés; une demi-douzaine d'aventuriers déjà connus dans les contrées voisines; ainsi que Nys Nirina, la jeune héroïne de… de… zut! Comment s'appelait ce Royaume?…

— C'est Siya, qui aurait pu me le dire, soliloqua le garçon à voix basse. C'est elle, qui a une mémoire à tout casser…

Un sourire triste passa sur les lèvres du jeune garçon.

— Attends-moi, petite sœur… Je vais revenir te voir… Ne pars pas sans moi…

Miyalrel se demandait vraiment ce qu'il ferait lorsque sa seule amie serait morte. Devenir le plus jeune chevalier de l'histoire des Cent Royaumes, c'était très bien, mais cela ne changerait rien à sa solitude. Même si sa xishâzen nâ démontrait clairement qu'il était un Xinjis Râ, Miyalrel savait qu'en quelque sorte, il était le seul enfant de sa race. Dans les rangs derrière lui se tenaient deux autres Xinjis Râ, mais ceux-là étaient nés de parents xinjis râ, et n'avaient aucune caractéristique inhabituelle. Le chevalier Val Rinyadel, qui décernerait les étoiles de bronze, était également un homme tout à fait ordinaire du peuple des Xinjis, quoique imbu d'un air de noblesse qui arrivait à lui donner une forte prestance. Il était respecté dans tout le royaume de Tenshâ, et il n'avait pas besoin de cheveux blonds ou de yeux vairons pour cela.

Le mystère de sa propre naissance avait toujours intrigué Miyalrel.

La foule rassemblée sur la place était considérable. La cérémonie attirait des visiteurs de nombreuses villes environnantes ; il y avait même des gens venus de royaumes voisins. Tous ces spectateurs le verraient bientôt recevoir son titre de chevalier. Miya avait tout pour être fier, mais présentement, il se sentait surtout nerveux et gêné.

Le superbe temple du Monument se dressait devant lui, resplendissant dans la lumière des soleils jumeaux. Ses lourdes portes étaient fermées et gardées par des prêtres en robes blanches. En ce moment, une procession de membres du clergé gravissait les degrés de marbre menant aux vantaux ; la foule venait d'acclamer leur apparition.

— Cela va commencer, chuchota subitement une voix derrière Miya.

Tiens-toi prêt, petit sinléya, c'est toi qui passes en premier.

Miya porta un regard confus à la ronde, scrutant les visages de l'assemblée. Les chevaliers de haut rang, dont Val Rinyadel, officiant de la cérémonie, étaient prêts à décerner les honneurs qui échoyaient aux différentes recrues. Toutefois, les prêtres du temple des Ancêtres, qui devaient également participer à la cérémonie, n'étaient pas encore au rendez-vous. Comment pouvait-on commencer sans eux ?

Le garçon se tourna vers le jeune homme qui lui avait soufflé à l'oreille.

— C'est étrange, les prêtres ne sont pas là. J'étais certain…

— C'est l'heure ! dit le futur chevalier. Oublie les prêtres, ça commence !

Devant Miyalrel, les portes massives du temple du Monument s'écartèrent dans un grondement sourd. Un grand silence s'abattit sur la foule. La 235e Cérémonie commençait. Il fallait maintenant que Miya franchisse ce seuil, afin de recevoir son titre de chevalier d'honneur, ainsi que l'arme traditionnelle.

Fièrement, quoique nerveusement, le jeune garçon avançât. Il aurait aimé que Qinlleh soit là pour le voir, mais si les prêtres étaient en retard, alors une situation urgente avait dû les retenir, et Miya n'y pouvait rien. Par conséquent, il franchit bravement les vantaux, qui se refermèrent derrière lui dans un grondement de tonnerre.

Devant lui s'étendait le hall des Héros, le vaste corridor d'entrée où étaient suspendues les grandes tapisseries qui racontaient en images les plus grands exploits des héros passés des Cent Royaumes. Miya espérait de tout son cœur qu'un jour, il aurait l'honneur d'en faire partie.

Évidemment, avant cela, il lui faudrait beaucoup plus d'expérience, quelques décennies de plus, et au moins une prouesse héroïque remarquable.

Au fond du hall des Héros s'ouvrait la porte de la salle du Monument. Le jeune garçon y pénétra avec un sentiment de trépidation. Le silence des lieux l'intimidait.

Lorsque l'adolescent eut franchi le seuil, les portes se refermèrent derrière lui. C'est alors qu'une explosion fracassa le mur extérieur du temple du Monument, projetant des débris dans toutes les directions.

En moins de deux, ce fut le chaos dans la ville. Des hommes en armure jaillirent de tous les coins sombres, accompagnés de bêtes griffues qui sautaient à la gorge des gens. Partout, dans la foule à l'extérieur du Temple, des rayons lumineux balafraient l'air, tuant et blessant des innocents au hasard. Une véritable cacophonie de cris — certains, terrorisés; d'autres, triomphants — s'élevèrent dans l'atmosphère de Nieslev, au moment même où les premiers bâtiments explosaient en monstrueuses gerbes de flammes.

Les nouveaux chevaliers se déployèrent à l'encontre des agresseurs, surpris de devoir mettre leur science martiale en jeu, avant même d'avoir formellement reçu les honneurs incombant à leur rang. Plusieurs tombèrent immédiatement au combat, assaillis de toutes parts par les monstres et les hommes. Nys Nirina, la jeune héroïne de son Royaume, se lança courageusement dans la bataille. Elle fut l'une des premières à périr, lorsqu'un trait de feu lui fit sauter la tête.

En tout lieu, dans le Temple, dans les autres bâtiments, dans les rues de Nieslev, l'envergure du carnage grandissait. La ville brûlait. Les guerriers ennemis se comptaient par dizaines, voire par centaines ; un nombre incroyable, étant donné que *personne ne les avait vus arriver*.

Les cris des mourants se mirent à recouvrir toute chose.

Et sur une colline en dehors de la ville, le maître sinistre de l'armée impitoyable, assistant à la scène de cauchemar, se mit à rire aux éclats.

Chapitre 3

— Je suis Miyalrel, du peuple de Xinjis ;
fils de Viyenrel, neuvième du nom,
énonça formellement le jeune garçon
devant le monument sacré érigé au
centre du Temple.

Dans ce lieu à l'abri de toute influence
extérieure, aucun son ne pénétrait.
Miyalrel était debout dans une sphère
de paix absolue. Sur le monument, une
structure cylindrique de roc noir, mar-
quée de runes saintes et anciennes,
reposait une sinlé magnifique. Avec
un sentiment de fierté, l'adolescent la
souleva. Cette arme serait sienne,
désormais.

Miya avait toujours admiré la forme
sinueuse des deux lames qu'il fallait
tenir en leur centre, les mains posées
sur une tige rainurée qui faisait office
de centre de gravité. Semblable à une
épée mince pourvue d'une lame courbe
à chaque bout, une sinlé était une arme
mortelle, capable de percer une armure
ou de décapiter un ennemi avec une

facilité effrayante. Mais il fallait savoir la maîtriser, sinon il était tout à fait possible de faire rouler sa propre tête.

La sinlé offerte à Miyalrel avait des lames de cristal bleu turquoise : la même couleur que sa xishâzen nâ. Connaissant Qinlleh, ce n'était probablement pas une coïncidence. Le grand prêtre l'avait probablement fait fabriquer sur mesure pour son petit protégé.

— Ils disaient que j'attirais les regards, dit le jeune garçon en riant. Avec cet armement dans les mains, ils auront raison de le dire !

Miya adressa son remerciement formel au monument, tel que l'exigeait le protocole de la cérémonie. Puis, il se dirigea vers la lourde porte de pierre. Elle s'escamota de nouveau devant lui, comme animée d'une vie propre.

Alors, le jeune chevalier fut secoué d'un sursaut. Une odeur de bois brûlé agressait ses narines. Des volutes de fumée et des nuages de poussière flottaient autour de lui. Des décombres jonchaient le hall des Héros. Plusieurs tapisseries s'étaient affaissées en tas de tissus sur les dalles.

Mû par un pressentiment terrible, l'adolescent se mit à courir en direction des portes extérieures du Temple. Elles étaient défoncées. Sur le seuil, il s'arrêta, frappé par la scène inouïe qui se déroulait devant lui.

La ville entière brûlait.

Il y avait des cadavres partout et des cris résonnaient encore dans l'air. Une véritable armée était en train de mettre Nieslev à feu et à sac.

Une seule pensée, tel un éclair, traversa l'esprit de Miya.

— *Siyanlis !* cria-t-il.

Il s'élança, le cœur battant follement. *Il devait sauver Siyanlis.* Dans l'odieux massacre que les ennemis inconnus perpétraient sous ses yeux, cette adorable petite fille, qui était sa meilleure amie au monde, ne devait pas mourir. Sa vie déjà si courte ne devait pas prendre fin dans la terreur, le sang et la souffrance.

Mais au moment où Miya sortit du Temple, sa propre vie faillit bien prendre fin.

Une flèche noire, tirée par un guerrier ennemi, fila dans l'air lourd de fumée et se brisa sur les degrés de pierre du Temple, presque entre les jambes du garçon. Eût-elle été tirée à un angle légèrement supérieur, elle se serait plantée droit dans sa poitrine.

Instinctivement, Miya battit en retraite et réintégra le temple du Monument. Derrière lui, un projectile enflammé heurta la façade du Temple et vomit un torrent de feu.

Miyalrel courut vers une issue secondaire. Le Temple en comptait plusieurs ; il ne serait pas difficile d'en sortir par une porte de côté. Mais l'édifice brûlait maintenant comme une torche, emplissant l'air de fumée et de cendres. Des corps gisaient dans les corridors, massacrés par les envahisseurs pendant que Miya recevait sa sinlé de cristal dans la salle du Monument. Les assassins ennemis avaient quitté le bâtiment aussi vite qu'ils y étaient entrés, mais le jeune chevalier entendait clairement, à l'extérieur, les cris et les plaintes qui montaient de partout. Si cela continuait ainsi, tous les habitants de Nieslev allaient périr comme des agneaux à l'abattoir !

Réalisant qu'il ne devait pas perdre une seconde de plus s'il voulait sauver Siya, Miya tenta de s'orienter dans les ruines enflammées du Temple. Comment un tel désastre avait-il pu se produire si vite ? Le garçon n'était resté que cinq minutes dans la salle du Monument !

C'était impossible, incompréhensible. D'où étaient-ils tous sortis ? Combien étaient-ils ? S'ils étaient vraiment si nombreux, comment les soldats de la ville avaient-ils pu ne rien remarquer au cours des derniers jours ?

Un craquement sec se fit entendre et une partie du toit s'écroula, engloutissant les dépouilles de quelques victimes dans une apothéose de feu. Il fallait que Miya quitte le Temple au plus vite. Sinon, il y trouverait une mort particulièrement affreuse.

Serrant sa seule possession actuelle — sa sinlé bleue — dans son poing, le jeune Xinjis Râ s'engouffra dans un couloir qui menait à une issue latérale.

Soudain, il poussa un cri de terreur.

La fumée venait de vomir une apparition hideuse. Dans la fraction de seconde suivante, Miya eut tout juste le temps d'effectuer un retrait du buste, évitant l'assaut sauvage de la créature immonde qui venait de lui sauter à la gorge.

La chose traça une parabole dans l'air vicié et atterrit derrière le garçon. Miya aurait pu courir immédiatement vers la sortie, mais il avait instinctivement compris que ce serait une erreur. S'il donnait la chance à cette créature de lui sauter dans le dos, c'en était fait de lui. Il virevolta donc immédiatement, gardant un œil horrifié sur la chose affreuse.

Il avait affaire à une forme de vie complètement étrangère, une boule de chair dans laquelle s'ouvraient quatre ou cinq gueules salivantes. La chose malsaine se déplaçait sur un ensemble de tentacules griffus, qu'elle tentait présentement d'enfoncer dans les jambes du garçon.

Les yeux larmoyants, Miya tenta de reculer vers l'issue du Temple, mais l'horreur, insensible à la fumée, lui sauta encore au cou. Elle cherchait manifestement à déchirer sa gorge. Ou peut-être souhaitait-elle s'abreuver de son sang.

Une quinte de toux secoua violemment le garçon. La densité de la fumée augmentait inexorablement autour de lui. La bête visqueuse, pour sa part, ne comprenait pas le danger. Cette créature n'avait-elle aucun instinct naturel de survie ? Si le monstre et l'enfant livraient combat en cet endroit, tous deux périraient dans l'enfer du Temple incendié.

Miya se sentit rapidement envahi par la panique. Alors que la boule de chair ouvrait deux ou trois de ses gueules hideuses et poussait un sifflement de colère, le garçon plaça ses mains au centre de la sinlé magnifique, dont les lames cristallines reflétaient la lumière des flammes. Il ne voyait aucune autre solution. Il allait devoir faire face au danger.

Tout à coup, le monstre se propulsa, tel un missile vers son visage.

Les réflexes du jeune adolescent entrèrent en jeu. S'il avait une telle réputation, si le titre de chevalier allait lui être décerné en dépit de son jeune âge, c'était avant tout pour cette raison : il était prodigieux. Un véritable prodige du combat ; un prodige, précisément dans le maniement de cette arme, la sinlé — l'arme traditionnelle du peuple des Xinjis.

L'arme se mit à tournoyer dans la lumière du brasier. Elle dessina un demi-cercle qui resta visible dans l'air, croissant fugace de feu et de lumière. Un choc sourd se fit entendre. Le mur à droite de Miyalrel fut aspergé d'un liquide fétide. La créature flasque, sectionnée en deux parties sanguinolentes, tomba sur les dalles chaudes. La gueule principale, qui allait se refermer, tel un piège à loups, sur le visage du jeune garçon, ne put que restituer un fleuve de sang visqueux alors que périssait le reste de son corps.

Le cœur battant la chamade, Miya prit la fuite vers la sortie.

Il courait maintenant dans une atmosphère presque dépourvue d'oxygène. La fumée brûlait ses poumons et la sueur coulait de tous ses pores. Il lui restait moins de 10 secondes à vivre. Il fallait qu'il atteigne la porte. Il fallait qu'il...

— *Aaaaah !*

Tel un diable jaillissant des puits infernaux, Miyalrel surgit en trombe du temple du Monument. Il trébucha, faillit échapper sa précieuse sinlé bleue, et la rattrapa d'une seule main. Incapable de garder son équilibre, il roula et boula sur lui-même, dans la rue salie de décombres.

Derrière lui, les flammes achevèrent leur conquête du bâtiment vaincu. Tout avait disparu dans un torrent de feu.

Presque asphyxié par la chaleur, Miya se traîna le plus loin possible de l'édifice. Sa peau avait rougi et ses mèches blondes avaient roussi, mais il était essentiellement indemne. Il n'avait subi aucune vraie blessure ni brûlure grave.

Il savait cependant qu'il serait mort sans sa sinlé.

En chancelant, le jeune chevalier se redressa. Toute la ville se consumait. Les forces ennemies devaient toujours être à l'œuvre, car elles n'avaient pas encore eu le temps de massacrer tous les habitants de la ville. Par ailleurs, les soldats de Nieslev devaient s'être ressaisis; la résistance devait s'organiser tant bien que mal.

Miyalrel traversa la rue en s'éloignant du temple du Monument. Crachant et toussant violemment pour chasser le goût de la fumée de sa gorge, il atteignit une rangée d'habitations encore intactes, au moment même où il entendit un craquement terrible dans son dos. Au centre du Temple, la voûte avait finalement cédé; l'influx d'air frais avait brusquement transformé l'incendie en conflagration digne des puits de Qentawah. Le prestigieux temple du

Monument n'était plus qu'un énorme pilier de flammes au cœur de Nieslev.

Miya s'adossa à une maison. Ses yeux versaient des rivières de larmes. Bien entendu, si on lui avait posé la question, il les aurait attribuées à l'odeur âcre et piquante de la fumée. En réalité, ses larmes étaient bel et bien imputables aux émotions déchirantes qu'il ressentait. Que se passait-il à Nieslev ? Pourquoi tant de gens étaient-ils en train de mourir ?

Un sanglot serra sa gorge lorsqu'il vit les couleurs du ciel : rouge, orange, gris et noir. Le feu, la fumée et les cendres. Les soleils jumeaux avaient presque disparu.

— Ils vont détruire la ville… Mais pourquoi ?… Qui sont-ils ?… Que veulent-ils ?

Son regard se posa sur la route principale qui traversait Nieslev. Quelque part à l'autre bout se dressait le majestueux temple des Ancêtres, chef-d'œuvre d'architecture, où Siyanlis devait être transie de peur — si elle avait la chance d'être toujours en vie. Miya souhaitait désespérément la sauver, mais pouvait-il courir le risque de traverser la ville sur l'artère principale?

Figé par l'indécision, le garçon tenta de chasser la panique de son esprit afin de réfléchir de manière calme et logique. C'était presque impossible.

Tout à coup, une plainte étranglée attira son attention.

Jetant un coup d'œil dans l'ombre d'une ruelle, il aperçut deux hommes couchés : un inconnu recouvert de plates d'armures, et un Xinjis Râ vêtu des robes d'un prêtre initié. Le jeune clerc était à l'agonie; tel un pieu, une lame sanglante saillissait de son thorax. C'était lui, en gémissant, qui avait attiré l'attention de Miya.

— Viens… ici…

Le garçon jeta des regards anxieux, presque hystériques, partout autour de lui. Toute la ville flambait. Personne ne s'en sortirait vivant.

Le cœur serré par l'angoisse, Miya s'approcha du prêtre à l'agonie. Celui-ci leva vers lui un regard presque éteint. Il allait bientôt mourir, c'était évident. Il ne pouvait pas survivre au sabre qui lui avait transpercé la poitrine et qui était toujours planté dans son torse. Mais il avait réussi à terrasser son meurtrier, l'homme en armure qui gisait près de lui. Pour un moment, curieusement, Miya fut fier du jeune prêtre. Au moins, un des forbans n'emporterait pas ses crimes au paradis.

Le jeune initié regarda Miya droit dans les yeux. Subitement, une expression de surprise altéra ses traits.

— Tes yeux... C'est toi le chevalier?... Le petit Xinjis Râ?...

Soudain, l'homme gémit; sa main sur sa poitrine se crispa, cherchant à repousser sa propre mort pour quelques instants additionnels.

Miya, pour sa part, crut comprendre pourquoi le clerc l'avait reconnu à ses yeux plutôt qu'à ses cheveux pourtant plus voyants. Sa chevelure devait être grise de suie et de cendres, tout comme l'étaient son visage, ses mains et ses habits.

D'une main tremblante, le jeune prêtre lui tendit un objet étrange : une tige de métal, fermée à un bout par un cristal rouge, et à l'autre bout par un cristal bleu.

— S... son arme... Kyansé...

L'autre bras du prêtre initié était tendu vers l'ennemi mort. Difficilement, le jeune homme à l'agonie se mit à parler.

— Tu... tu la tiens comme ça... Elle tire la lumière qui tue... Une lumière brûlante... qui transperce la chair... Mi... Miyalrel... C'est vraiment toi, n'est-ce pas?...

Le garçon hocha vivement la tête. Ne sachant pas si le mourant pouvait encore le voir, il répondit aussi à voix haute.

— Oui, c'est moi.

— S... sois brave... petit cheva...

Les spasmes de la mort saisirent brusquement le jeune initié. Juste avant de rendre son dernier souffle, il parvint à laisser tomber une courte prière de deux mots : *Douce Inyëlh*...

Puis, il ne bougea plus.

Miya ferma les yeux. Il essayait d'endiguer ses larmes. *Inyëlh*, la sphère de paradis. Combien la visiteraient, pour ne plus jamais en revenir, avant que cette journée passe à l'histoire ? Le garçon, lui-même, serait-il l'un de ceux qui partiraient pour ce grand voyage ?

Serrant une main sur la mystérieuse kyansé que le jeune prêtre avait arrachée à son ennemi dans ses derniers instants de vie, Miya se releva. Il songeait encore à Siyanlis, plus déterminé que jamais à sauver la vie de son amie.

Il faudrait toutefois qu'il sauve la sienne d'abord. Devant lui, un homme venait d'apparaître, issu de nulle part.

Le mercenaire ricana en voyant le jeune garçon en face de lui.

— Toi aussi, tu vas mourir ! proclama-t-il en levant une vieille sinlé.

Devant cet homme adulte, dont les intentions meurtrières étaient claires, le premier réflexe de Miya fut celui de lever la kyansé et de viser l'homme en plein visage. Mais en un éclair, le garçon comprit qu'il n'aurait peut-être droit qu'à une charge. S'il la gaspillait ici…

Cet unique instant d'hésitation aurait été son dernier moment de vie, si l'ennemi n'avait pas eu entre ses mains une sinlé dotée d'une seconde lame tronquée. Le coup mortel, qui aurait dû trancher la gorge de Miyalrel, voire le décapiter d'un seul moulinet, siffla devant son cou sans le blesser, en raison de la longueur inadéquate de la lame.

Les yeux écarquillés, le jeune garçon comprenait à peine ce qui venait de se passer. Statufié par la peur, il s'attendait encore à ressentir la douleur d'une plaie profonde à la gorge.

Au moment où le scélérat avait posé son geste impitoyable, Miya n'avait pas remarqué qu'il tenait une sinlé endommagée. Il avait aussi peine à croire qu'il était indemne.

D'un seul coup, toute la panique réprimée des dernières minutes déferla dans le cœur de l'adolescent. Sinlé dans une main, kyansé dans l'autre, il se mit à courir. Avec un barrissement de fureur, l'homme en armure se lança à sa poursuite.

Miya détalait comme s'il avait une harde de *sixis* à l'arrière-train. L'autre, muni d'une armure lourde, n'était manifestement pas habitué à courir le marathon. Par ailleurs, il poursuivait une proie à laquelle la jeunesse conférait une agilité et une énergie qu'il ne pouvait égaler. Bientôt, le guerrier dut abandonner la poursuite, sans toutefois se priver de jurons retentissants.

Miya continua à courir dans les rues de Nieslev, jusqu'à ce qu'il ressente un point au côté qui le força à s'arrêter. Il croyait sombrer dans l'épouvante. Pendant plusieurs minutes, il resta accoudé au flanc d'une maison, calmant désespérément les battements endiablés de son cœur, rétablissant le rythme naturel de sa respiration.

— C'est... C'est un cauchemar, murmura-t-il.

Désemparé, le garçon se réfugia dans les profondeurs d'une ruelle, là où personne ne pourrait le voir ou le trouver. Il devait se cacher. Il devait trouver un endroit sûr et s'y terrer. C'était sa seule chance de rester en vie.

Il ne fit qu'une vingtaine de pas avant de passer devant une fenêtre basse dont la vitre était encore intacte.

Sur cette glace sombre, les flammes et le ciel rougeoyant se reflétaient cruellement, délinéant l'image de Miya.

Le jeune garçon s'immobilisa à la vue de son propre reflet.

Il avait sous les yeux un enfant sale, taché de suie et de cendres, dont les yeux affolés étaient ceux d'une bête traquée. Mais ce garçon portait les nobles vêtements d'un chevalier de l'empire des Cent Royaumes, ainsi que le brassard doré qui désignait son statut de chevalier d'honneur de la 235e Cérémonie.

Un tremblement agita le corps de Miyalrel.

Devenir chevalier, alors que seul le prestige du titre était en jeu, avait été un défi à relever, une épreuve à passer, pour découvrir la véritable envergure de son talent inné. Il était fier d'avoir obtenu les points les plus élevés à l'examen de compétences martiales. Il avait souri en imaginant l'admiration qu'il lirait dans les yeux de Siyanlis, lorsqu'il reviendrait auprès d'elle en tant que chevalier officiel des Cent Royaumes.

Il n'avait jamais rêvé à un jour comme celui-ci.

Car maintenant, dans cette ruelle, Miyalrel comprenait, le cœur glacé par l'angoisse, que son statut de chevalier était accompagné d'un devoir incontournable. Il devait se porter au secours des habitants terrorisés de Nieslev. Il devait combattre et mourir, avec les autres chevaliers et les soldats de la ville — et ce, même s'il n'existait aucun espoir de survie.

Miya frissonnait, mordillant sa lèvre inférieure. Que devait-il faire ? S'il restait ici, dissimulé dans l'ombre, il aurait peut-être une chance de demeurer en vie. Mais son honneur serait bafoué. Il aurait perdu le droit de se prétendre chevalier. Peut-être serait-il même pendu pour couardise, comme l'étaient les déserteurs et les lâches en temps de guerre.

En revanche, s'il se comportait en brave chevalier, face à tous ces ennemis sanguinaires qui décimaient la population de la ville, il allait assurément mourir au combat. Tout son talent à manier la sinlé ne le sauverait pas, en face d'une horde de mercenaires adultes.

Au fond, Miya savait déjà quelle serait sa décision. Mais il avait terriblement peur.

« Je vais mourir », songea-t-il. « Je vais vraiment mourir. »

Le garçon ne pouvait rester sourd à tous les cris de détresse qui montaient. Graduellement, il commençait à se faire à l'idée qu'il vivait son dernier jour en ce monde. Lorsque tout serait terminé, sa mort ne serait probablement pas différente de celle des autres victimes de la tuerie. Mais il vivrait ses derniers instants avec courage.

Miya regarda son image sur le verre. Il essuya ses larmes et se força à sourire.

Chevaliers au cœur d'orage, cita-t-il en pensée, *livrez combat avec courage ; et si la mort est votre destin, accueillez-la, l'arme à la main.*

Au temple des Ancêtres, Siya devait se préparer à la mort avec la même bravoure qu'elle avait démontrée toute sa vie. Plus que toute chose, Miya souhaitait l'accueillir sur la sphère de paradis, avec tout son honneur intact. Si c'était vraiment la fin, il voulait que Siya soit sa compagne d'éternité dans les rêves merveilleux d'Inyëlh.

Et tous pourraient raconter que le petit Miyalrel était mort en héros.

Chapitre 4

Miya sortit de la ruelle avec sa sinlé à la main. Il avait accroché la kyansé à sa ceinture, où il pourrait l'atteindre facilement en cas d'urgence.

Même s'il avait pris la noble décision de mourir au combat, le garçon ne tenait pas particulièrement à précipiter la fin de sa courte existence. Or, s'il ne voulait pas devenir une victime anonyme parmi tant d'autres, il fallait qu'il passe inaperçu le plus longtemps possible. Jusqu'à ce que l'occasion se présente de porter un grand coup contre l'armée ennemie, ou qu'il soit lui-même pris au piège et contraint de livrer son baroud d'honneur.

Pendant plusieurs minutes, Miya contourna les maisons et les commerces de la ville. Certains étaient intacts ; d'autres étaient en ruine ou en flammes. Il apercevait encore des cadavres à intervalles réguliers, mais il s'efforçait de ne pas trop y penser. La présence des corps sans vie avait l'avantage de prouver que les ennemis étaient déjà passés par là. Ils n'allaient probablement pas revenir avant d'avoir «nettoyé» le reste de la ville.

Si Miya survivait — si, contre toute attente, il voyait un nouveau jour se lever —, il aurait le temps de pleurer les morts innombrables de Nieslev.

Pour l'instant, il s'était donné un but unique, le même qu'au départ : Siyanlis.

Jusqu'à son dernier souffle, il irait vers Siyanlis.

Bien entendu, si son devoir de chevalier l'exigeait, il interviendrait pour sauver un citadin, ou pour apporter son appui à un soldat en mauvaise posture. Mais il ne tournerait jamais le dos au temple des Ancêtres. Il s'y rendrait, ou il périrait en route.

Ce fut à ce moment même qu'un cri attira son attention sur une scène révoltante qui se jouait entre deux habitations proches. Dans une allée encore épargnée par le feu, deux mercenaires ennemis avaient cerné trois jeunes femmes. Deux d'entre elles étaient manifestement déjà mortes, et la troisième ne pouvait plus résister aux coups qui pleuvaient sur elle. Si personne ne survenait miraculeusement pour la défendre, elle allait vite rejoindre ses compagnes dans l'Au-delà.

Est-ce déjà la fin ? songea Miya, avec un nœud dans la gorge.

C'était exactement la situation qu'il avait imaginée. Comme l'exigeait son uniforme, il allait devoir se frotter à deux tueurs adultes déterminés. S'il ne le faisait pas, il perdrait à jamais le droit de se proclamer chevalier de l'Empire.

Et s'il le faisait…

Avant de réfléchir davantage, Miya ouvrit la bouche. Lorsque sa voix se fit entendre, le garçon fut lui-même étonné de la trouver forte et autoritaire.

— Arrêtez tout de suite !

Les deux forbans se retournèrent aussitôt. Ils aperçurent alors une silhouette sombre sur un arrière-plan de flammes. La silhouette de Miyalrel.

Ils hésitèrent visiblement, croyant avoir affaire à un ennemi adulte. La lumière des flammes, se reflétant sur les lames cristallines de la sinlé de Miya, le rendait encore plus menaçant.

Tout à coup, le premier mercenaire se décida. Ces hommes malfaisants n'avaient pas l'habitude de battre en retraite devant un seul ennemi.

Tirant une épée courte et recourbée du fourreau à sa ceinture, il s'élança furieusement en direction du jeune garçon. Celui-ci comprit immédiatement que l'affrontement était inévitable. Par ailleurs, l'homme allait vite constater que son adversaire n'était qu'un adolescent. Lorsqu'il le constaterait, cela ne ferait que renforcer sa confiance. Sachant cela, Miya avait peu de temps pour faire sa marque.

Le scélérat fondit sur le jeune chevalier, qui esquiva le premier assaut avec aisance. Sa sinlé traça un sillon de lumière dans l'air. L'homme leva son épée juste à temps. Il y eut une gerbe de flammèches bleues, et les deux armes se séparèrent en laissant une sonorité aiguë dans l'air.

— Inyëlh! jura le mercenaire.

Il frappa de nouveau, plus férocement cette fois. Le type n'avait rien d'un manchot, et le coup qu'il lui porta fut d'une violence considérable. Miya le para avec une lame de sa sinlé, mais soudain, ses mains en sueur le trahirent. Il perdit légèrement son emprise sur la tige centrale de son arme. La lame heurtée par l'épée fut propulsée vers le bas ; la seconde lame remonta à la même vitesse et laissa les côtes du garçon sans défense. L'autre en profita.

Son épée traça une zébrure étincelante dans l'air chaud. Miya poussa un cri de douleur. Sur son flanc droit, une tache rougeâtre était apparue. La lame de son ennemi avait entaillé ses vêtements et sa peau, sans toutefois pénétrer en profondeur dans sa chair.

Normalement, sous son uniforme de chevalier, Miya aurait porté un gilet de cuir ou même une cotte de mailles. Aujourd'hui, évidemment, il s'était vêtu pour assister à une cérémonie traditionnelle, non pas pour partir en guerre. Les autres chevaliers devaient souffrir du même handicap dans les combats qui les opposaient aux forces ennemies. C'était sans doute la raison pour laquelle plusieurs étaient morts si facilement dans l'assaut initial.

Miya crispa une main sur la blessure qu'il avait subie, gardant l'autre main sur sa sinlé afin de se protéger de toute nouvelle attaque de son mieux. Il songea furtivement à la kyansé fixée à sa ceinture. « Devait-il s'en servir ? En voulant absolument garder son meilleur atout pour la fin de la partie, risquait-il de tout perdre prématurément ? »

Le mercenaire ennemi ne lui donna pas le temps de réfléchir davantage. Avec un sourire, il avança en faisant tournoyer son épée. Il savait désormais quel âge avait son ennemi.

— Regarde ça, Riex ! C'est un petit morveux !

Voyant que Miya ne présentait guère un grand risque, le deuxième tueur délaissa les corps inertes des jeunes femmes et vint se joindre à son compagnon. À deux, ils savouraient déjà leur victoire. Pour ces hommes, comme pour la plupart de ceux qui participaient à l'invasion de Nieslev, seul le plaisir du meurtre avait de l'importance. Même, ils ne savaient probablement pas pour quelle raison l'attaque sauvage avait été menée.

— Alors ? demanda le premier forban. Qu'est-ce qu'on lui coupe, pour commencer ?

— Il faut se dépêcher et rejoindre les autres, répondit le dénommé Riex. Nous n'avons pas le temps de nous amuser. Tue-le, et partons d'ici.

— Ça va, maugréa le compagnon de Riex.

Il fit un autre pas. Miya se plaça en position défensive, le cœur battant. Il sentait l'inévitable destin se resserrer sur lui. Que ressentirait-il, au moment de mourir ? Allait-il souffrir ?

L'adolescent fixa son regard sur l'adversaire qui l'avait blessé. Il en emporterait au moins un dans la mort. C'était la façon dont devait périr un chevalier.

Le destin, toutefois, était une force capricieuse.

Alors que Miyalrel tentait de se convaincre qu'il était prêt à mourir l'arme à la main, un dieu espiègle souffla, et une rafale de vent souleva un banc de fumée âcre; cette même fumée que les forces ennemies avaient répandue en incendiant la moitié de la ville. Pendant quelques instants, un voile grisâtre sépara Miya de ses ennemis. L'un d'eux toussa. L'autre jura.

Le jeune garçon se propulsa. Non pour s'enfuir comme un lâche, mais pour profiter de cette unique seconde où le combat tournait en sa faveur.

La sinlé de cristal bleu fendit la fumée et sectionna nettement le bras du premier forban. Un rugissement de souffrance animale monta dans l'air chaud. Le second personnage, Riex, poussa des jurons retentissants et leva son épée.

— Petit *xarlep* ! hurla-t-il.

Il frappa, mais sa lame ne fendit que l'air. Avec l'agilité naturelle des enfants, son adversaire s'était dérobé. Le meurtrier voulut relever son épée pour lancer une deuxième attaque. Pour sa part,

Miya n'eut pas besoin d'accomplir un tel geste ; les deux lames de sa sinlé rendaient l'arme tout aussi létale, dans un sens comme dans l'autre, pour qui savait la manier.

Et le jeune Xinjis Râ savait très bien la manier.

La lame souillée du sang du compagnon de Riex n'avait pas besoin de changer de position. Ce fut la seconde lame qui s'enfonça, tel un pal, dans le ventre du deuxième forban.

Les yeux écarquillés par la souffrance, l'homme recula. Il avait une main crispée sur la vaste tache rouge qui s'élargissait sur son vêtement. Peut-être n'était-il pas blessé mortellement ; cela dépendait des organes touchés. Mais il aurait assurément besoin des services d'un guérisseur de renom, et il y avait fort à parier que l'armée ennemie ne s'encombrerait pas de blessés graves.

Le premier homme s'était relevé, un avant-bras en moins, les traits déformés par la rage et la souffrance. Désormais, le type avait tout du manchot.

Les deux tueurs voyaient bien que leur vis-à-vis n'était qu'un jeune garçon, mais cela n'avait plus le même effet rassurant qu'au début de la confrontation. Cette sinlé bleue que Miya faisait tournoyer avec expertise les avait probablement estropiés pour de bon. Chacun avait désormais une chance non négligeable de succomber à ses blessures, tandis que l'unique plaie subie par le petit chevalier était relativement mineure.

Il restait vrai, aux yeux des deux scélérats, que Miya n'était qu'un enfant. Mais ils avaient pleinement compris quelle était l'habileté au combat de leur jeune ennemi. Ils avaient également compris que personne ne viendrait les secourir, dans cette ruelle obscure, s'ils périssaient sous les coups de cette étonnante sinlé aux lames bleutées.

Leur couardise fondamentale prit finalement le dessus.

Avant que Miya puisse se résoudre à les achever, ils détalèrent sans demander leur reste. Intérieurement, le jeune garçon poussa un soupir de soulagement. À l'idée de devoir tuer les mercenaires, il s'était senti paralysé par la culpabilité. Peut-être n'aurait-il pas trouvé le courage de les assassiner froidement, en dépit des crimes qu'ils avaient commis.

Toutefois, son soulagement fut bref.

Ils vont revenir, réalisa-t-il. *Ils vont revenir avec des renforts !*

Cette vérité effraya Miya à un point tel qu'il faillit s'enfuir immédiatement, mais il se souvint de la présence des trois jeunes femmes étendues au fond de l'allée. Il était impératif que le jeune garçon quitte les lieux au plus vite, mais il avait le temps de voir s'il pouvait encore sauver les victimes des forbans.

Comme Miya l'avait pressenti, deux d'entre elles étaient déjà mortes. Elles avaient été tuées bien avant qu'il intervienne. En revanche, la troisième vivait toujours. Elle gisait dans une mare de son propre sang, près des cadavres de ses compagnes d'infortune. Avec étonnement, Miya vit qu'il s'agissait d'une Xinjis Râ. Il ne l'avait pas remarqué de prime abord ; maintenant qu'il était penché sur elle, ses cheveux bleus étaient plus qu'évidents.

Une Xinjis Râ comme moi, songea-t-il tristement. « Mais je suis certain que ses parents à elle étaient aussi des Xinjis Râ. »

L'adolescent s'affaissa auprès de la jeune femme. Une larme coula sur sa joue. Tout son courage avait été vain. Il était arrivé trop tard. La malheureuse était toujours en vie, mais ses blessures ne lui laissaient aucune chance. Elle avait été battue et poignardée plusieurs fois. Par ailleurs, dans le creux de sa gorge, sa xishâzen nâ était complètement fracassée, probablement brisée à grands coups de botte.

Elle ne vivrait guère plus d'une autre minute.

Comme si elle avait senti la présence de Miyalrel, la jeune femme ouvrit les yeux. Son regard était déjà voilé par l'approche de la mort. Toutefois, en voyant le garçon penché sur elle, elle fut animée d'une dernière énergie. Serrant le poignet de Miya, elle plongea son regard agonisant dans le sien et déposa quelque chose dans sa main ouverte. Elle parla alors d'une voix qui n'était plus qu'un murmure.

— Elle s'appelait Tanilya... Ma petite fille... Je lui ai promis... que quelqu'un... se souviendrait... toujours...

La gorge serrée par l'émotion, Miya assista au dernier souffle de la jeune femme. En fermant les yeux, elle partit silencieusement vers la douce lumière d'Inyëlh. Ses souffrances en ce monde étaient terminées. Tout en essuyant les larmes qui coulaient sur ses joues, le jeune garçon jeta un regard à l'objet qu'elle lui avait confié avant de mourir.

— Une... Une xishâzen nâ !...

Le chagrin s'empara de nouveau de Miyalrel, plus cruellement encore. Il venait de comprendre les dernières paroles de la malheureuse.

Tanilya, son enfant, avait dû mourir — peut-être de maladie, peut-être acci-dentellement, ou peut-être avait-elle été tuée ici même, à Nieslev, par les forces ennemies. Toutefois, sa mère était restée auprès d'elle, lui promettant, dans ses derniers instants de vie, qu'elle ne serait jamais oubliée.

Et maintenant, sachant qu'elle allait mourir à son tour, la jeune femme à l'agonie avait voulu préserver le précieux souvenir de sa fille, en confiant à Miya le dernier vestige de son existence en ce bas monde : sa xishâzen nâ. Sa pierre de vie.

Une boule douloureuse se logea dans la gorge de Miyalrel. En même temps, une froide détermination naquit en lui. Il n'était plus question de mourir vainement au combat. S'il était en son pouvoir de faire quelque chose pour repousser, vaincre, *anéantir* cette armée de bouchers sans âme, il les enverrait tous en enfer de ses propres mains.

Miya se redressa, serrant le cristal bleuté dans sa main droite. Il leva la gemme devant son visage et fit silencieusement le vœu de ne jamais oublier la petite fille, qu'il n'avait pourtant jamais connue. S'il périssait, la petite Tanilya disparaîtrait avec lui.

Il n'avait plus le droit de mourir.

Chapitre 5

Miya leva sa sinlé cristalline et admira brièvement le scintillement magnifique des lames bleutées. Avec une telle arme entre les mains, il devrait transpirer la confiance. Mais il savait jusqu'à quel point sa vie était menacée. La douleur lancinante de sa blessure au flanc lui rappelait le danger avec une insistance agaçante.

Un baume guérisseur aurait été le bienvenu en ce moment.

Le garçon se réconforta en songeant aux deux salopards qu'il venait de mettre en déroute. Pour ces deux-là, un onguent serait tout à fait inadéquat; en ce sens, Miya pouvait être fier de lui. Il avait manifestement gagné le combat. Contre deux hommes adultes.

Peut-être avait-il encore une chance de survivre à cette boucherie. Peut-être sous-estimait-il ses propres capacités.

Conscient qu'il ne devait pas verser dans l'arrogance, le garçon baissa sa sinlé et rangea précieusement la pierre de vie de Tanilya dans sa poche. En même temps, il s'assura que la kyansé était toujours glissée sous sa ceinture. C'était son seul atout, voire sa seule chance de rester en vie, s'il tombait entre les mains d'un ennemi plus fort que lui.

Ensuite, Miyalrel quitta la ruelle où gisaient toujours les corps sans vie des trois infortunées. Il n'avait pas le temps de leur offrir une sépulture décente. De toute façon, il ne connaissait pas les prières qui étaient traditionnellement prononcées pour guider les âmes vers Inyëlh.

S'il restait en vie, il irait assister à leurs funérailles.

Elles n'auront pas de funérailles, lui signala la part froide et rationnelle de son esprit. *Ils feront une seule cérémonie pour tous les morts.*

Miya tenta de chasser le drame de ses pensées. Il devait rester alerte et lucide.

De l'autre côté de la ville incendiée, le temple des Ancêtres attirait toujours le jeune chevalier, tel un aimant invisible. Sans traîner davantage, sans donner le temps à la peur de resserrer son emprise sur ses entrailles, Miya se mit à courir dans les venelles de Nieslev. Il se tenait loin des artères principales, conscient de la présence de nombreux ennemis dans la ville. Dans les allées derrière les résidences, ses chances d'être attaqué seraient moindres.

Pendant plusieurs minutes, le garçon se faufila de ruelle en ruelle. Il ne vit qu'un seul cadavre, celui d'un soldat portant l'uniforme bleu de la garnison de Nieslev. Par ailleurs, il ne fit aucune rencontre hostile. Toutefois, les venelles finirent par lui faire défaut : s'il voulait continuer dans la même direction, il allait devoir s'aventurer dans les avenues centrales de la ville.

« Je n'ai pas le choix », se répéta-t-il mentalement.

Il voulait se donner du courage ; aussi songea-t-il à Siyanlis. À ce moment, plongé dans ses pensées, Miya ne remarqua pas les cinq figures qui venaient d'apparaître à sa gauche. Du coin de l'œil, il vit une silhouette fondre sur lui.

Avec un cri de surprise et de frayeur, il leva sa sinlé en faisant tournoyer les lames. La forme humaine eut un vif mouvement de recul et poussa une exclamation.

— Holà ! Du calme, petit !

Le cœur de Miya battait à tout rompre. Il venait de reconnaître l'uniforme bleu du nouveau venu : il avait affaire à un soldat de la ville. Le militaire, pour sa part, ouvrit des yeux étonnés en voyant la magnifique sinlé que l'adolescent tenait sous ses yeux.

— Où as-tu trouvé cela ? Ce n'est pas un jouet pour un garçon de ton âge ! Va vite te cacher, tu ne peux pas rester à l'extérieur !

Deux autres soldats accoururent : un homme et une femme. Les deux derniers les suivaient à un pas plus raisonnable, surveillant les arrières du petit groupe ; ils étaient aussi de sexe opposé. Ce fut la première arrivée qui fronça les sourcils.

— Attends un peu, pourquoi portes-tu… ?

En voyant son expression, Miya comprit qu'elle venait de remarquer sa tenue : l'uniforme d'un chevalier nouvellement promu. Ses habits étaient peut-être déchirés, brûlés, tachés de suie et éclaboussés de sang, mais ils étaient toujours reconnaissables. Le premier soldat, trop éberlué par la sinlé que Miya avait failli planter entre ses deux yeux, n'avait rien vu de plus sur le coup, mais tous pouvaient désormais étudier l'habillement du jeune garçon. L'un des militaires poussa alors un cri de surprise.

— Mais... C'est notre petit chevalier d'honneur ! Mi... Mirizel !

Malgré la situation, l'adolescent ne put s'empêcher de pouffer de rire.

— Miyalrel.

Intérieurement, il se demanda s'il devait feindre l'indignation. Les noms traditionnels des Xinjis Râ, dont « Miyalrel » faisait partie, avaient tous un sens poétique. Celui de Miya signifiait « nouvel espoir », alors que « Mirizel » aurait pu se traduire par « odeur putride ».

Les soldats regroupés autour de lui le bombardaient maintenant de questions. Qu'avait-il vu ? Par où était-il passé ? Avait-il croisé des ennemis ? Savait-il ce qui se passait ?

Le garçon, impuissant, ne put qu'avouer son ignorance.

— Viens avec nous, ordonna l'homme qui commandait le détachement ; il portait l'insigne d'un caporal. Tu n'as aucune chance si tu te promènes tout seul dans les rues.

Miya ressentit immédiatement un grand soulagement. En compagnie de cinq soldats adultes, de cinq protecteurs, il serait beaucoup plus en sécurité.

En même temps, il se sentit gagné par un sentiment de fierté. Dès qu'ils avaient reconnu son uniforme, les soldats avaient immédiatement cessé de le traiter comme un enfant égaré. Leur discipline militaire avait dicté leurs paroles ; ils étaient en présence d'un allié, et la situation exigeait qu'ils profitent de toute l'aide qui se présentait à eux.

Le jeune garçon n'eut guère le temps de s'enorgueillir.

— Reste derrière nous, ordonna le caporal d'une voix brusque. Avertis-nous, si tu vois quelque chose de suspect.

Miya ne protesta pas. Il était trop heureux de ne plus être seul à faire face aux ennemis sanguinaires qui pillaient Nieslev. Les autres soldats du détachement, pour leur part, lui jetèrent quelques regards en biais, à la fois étonnés et appréhensifs. Pendant un instant, Miya se demanda s'ils avaient peur de lui.

Tout à coup, il crut comprendre, et malgré la gravité de la situation, il sentit l'émerveillement le gagner. *Il était un chevalier.* C'était pour cela que les autres réagissaient ainsi. Si le caporal s'était adressé sur ce ton à un chevalier *adulte* de l'Empire, il en aurait pris pour son grade — grade qu'il n'aurait probablement pas conservé longtemps. Le respect dû à l'Ordre était absolu : seul le capitaine d'une Légion impériale, ou un chevalier de rang supérieur, aurait normalement été en droit de donner des ordres à Miyalrel.

Cette réalité fit naître un frisson sur l'échine du jeune garçon. Il n'avait jamais pleinement pris conscience, jusqu'à maintenant, de ce que représentait ce titre de chevalier qu'il avait mérité par sa performance éblouissante aux épreuves d'Inexell.

Même s'il était désormais conscient du faux pas commis par le caporal, Miya se tint coi. Le temps était mal choisi pour défier ses nouveaux alliés. D'ailleurs, même s'il eût souhaité en faire un fromage, les événements se seraient précipités trop vite pour lui laisser le temps de morigéner le soldat.

Alors que le petit groupe passait devant une vaste maison enflammée, un homme en jaillit, les vêtements en feu. Il portait les habits d'un domestique.

Voyant l'homme se démener contre les flammes, deux soldats du groupe s'élancèrent pour lui venir en aide. L'un d'eux s'empara d'un seau contenant un fond d'eau de pluie et aspergea le valet;

l'autre détacha la cape qui faisait partie de son uniforme et tenta d'étouffer les flammes survivantes. Après quelques secondes de panique, de cris et de gesticulations, le feu fut maîtrisé. L'homme garderait probablement quelques cicatrices dues aux brûlures subies, mais, en somme, il s'en sortirait raisonnablement bien.

— Ils… Ils sont encore à l'intérieur, souffla alors le domestique.

Miya sentit une main invisible serrer son cœur. La maison était la proie des flammes. Qui pouvait-il encore s'y trouver ?

Le caporal posa la même question.

— Qui est à l'intérieur ?

— Maître Vesyné… sa fille… Vous… vous devez les sauver !…

À cet instant, un cri strident se fit entendre. Le hurlement provenait de la maison incendiée, qui flambait joyeusement en dégageant une lourde fumée opaque.

— La fille est encore en vie ! s'exclama Miya.

— La pauvre, dit l'une des jeunes femmes du détachement. Elle va brûler vive !...

Alors, Miya s'élança.

Il n'avait pas réfléchi un seul instant. Il n'avait pas étudié l'intensité des flammes, ni la sécurité des voies d'accès à la vaste demeure. Il avait entendu la voix effrayée d'une petite fille. En pensée, il avait vu le visage de Siyanlis. Et ses jambes s'étaient mises à courir.

Il n'avait même pas hésité.

— A... attends ! hurla une voix effarée dans son dos.

Les autres ne pouvaient plus le rattraper. Fonçant à travers les vagues de chaleur qui déferlaient sur lui, Miya sauta d'un seul bond sur le porche et courut vers la porte. Elle était toujours ouverte ; le domestique n'avait évidemment pas songé à la refermer derrière lui.

Le garçon s'engouffra dans la maison.

Les flammes n'avaient pas encore gagné toute l'habitation. La situation paraissait dramatique de l'extérieur, mais à l'intérieur, la fumée n'avait pas encore rendu l'air irrespirable. Il avait encore une chance.

Transpirant abondamment dans la fournaise, Miya courut sur toute la longueur du hall d'accueil. Son but premier était de sauver Siya, terrée dans le temple des Ancêtres, mais il ne pouvait laisser d'autres innocents périr. L'enfant qui avait poussé le cri entendu ne devait guère avoir plus de 10 ans. Sauver Siya tout en laissant une autre fillette périr aurait rongé l'âme de Miya jusqu'au jour de sa mort.

En moins de 10 enjambées, le jeune garçon gagna la porte au fond du hall et surgit dans un vaste salon luxueusement meublé. En voyant les œuvres d'art qui recouvraient les murs, il comprit brusquement où il se trouvait. Il avait déjà entendu le nom de Vesyné — le marchand le plus riche de Nieslev.

L'homme profitait manifestement de sa fortune pour vivre dans l'opulence. C'était peut-être ce qui l'avait finalement condamné. Son manoir digne d'un palais avait dû attirer l'attention des forces ennemies, qui avaient sans doute décidé de le raser au même titre que le temple du Monument et les autres édifices officiels de la ville.

À présent, les jours de gloire de Vesyné étaient terminés. Non seulement ses trésors allaient-ils disparaître dans une apothéose de feu, mais le riche marchand, lui-même, n'était plus de ce monde. Il gisait inerte au fond de la pièce, déjà enveloppé de flammes dévorantes.

Seule la beauté d'Inyëlh pouvait désormais sauver son âme.

La petite fille, songea Miya. Où est-elle?

Au moment où cette pensée lui traversa l'esprit, il entendit un nouveau cri. Celui-ci, cependant, ne venait pas de la bouche terrorisée d'une fillette.

Un inconnu maigrelet, au visage perfide, surgit de la fumée en brandissant un poignard. Ses traits étaient hilares, déformés par la folie. En hurlant comme un aliéné, il fondit sur Miya.

Le garçon esquiva l'attaque grâce à un réflexe presque surhumain. Il n'eut pas le temps, toutefois, de contre-attaquer avec sa sinlé.

Riant comme un détraqué, l'homme au poignard virevolta. Les yeux rivés à ceux de Miya, il sourit largement, exposant des dents blanches qui rougeoyèrent dans la lumière des flammes. Il passa de nouveau à l'attaque. Cette fois-ci, le garçon était prêt à le recevoir.

Malgré l'avantage qu'aurait dû lui conférer son attaque-surprise, l'inconnu vit une lame bleutée ouvrir une plaie horizontale à son ventre, à la hauteur de l'estomac. Hurlant de douleur, le tueur au poignard fit plusieurs pas en arrière et laissa tomber son couteau. Puis, il éclata stupidement de rire et tourna les talons, disparaissant dans la maison en flammes.

Le garçon se sentit envahi par l'incrédulité. Ce fou meurtrier l'avait-il attaqué, pour le simple plaisir de le voir mourir ? Était-il également responsable du meurtre de Vesyné ? Avait-il, comble de la démence, allumé l'incendie, lui-même ?

Miya fut pris de l'envie irrésistible de se lancer à sa poursuite. Il comprit toutefois que ce serait impossible, et suicidaire de surcroît. Le feu s'était désormais répandu partout. S'il ne sortait pas très vite de cette maison, il périrait brûlé vif.

La petite fille ! protesta sa conscience.

Il s'arrêta, regarda fébrilement autour de lui. Où pouvait-elle se trouver ?

Miya ouvrit la bouche pour l'appeler, mais réalisa alors qu'il n'avait jamais songé à demander le nom de l'enfant au domestique.

— Pe… petite fille ! hurla-t-il à pleins poumons.

Il se sentait sot, mais n'avait aucun autre choix. Il devait faire vite ; il n'avait pas le temps de feuilleter un dictionnaire de prénoms communs.

À son immense soulagement, Miya entendit les pleurs de la fillette. Elle se trouvait dans la pièce adjacente, manifestement terrorisée et incapable de découvrir l'issue du manoir par elle-même. Par ailleurs, Miya soupçonnait qu'elle s'était cachée pour ne pas être poignardée par le fou, qui avait vraisemblablement tué son père. À présent, sa peur des flammes supplantait sa crainte de l'homme au couteau.

L'adolescent se précipita à vive allure dans l'autre salle.

— Où es-tu ?... Dis-moi, où tu es, petite !... Je suis venu te sauver !

Miya ne savait pas ce qu'il ferait si l'enfant apeurée ne répondait pas — ou pire, si elle s'enfuyait à son approche. Il fut donc soulagé de voir la fillette courir dans sa direction, hurlant et pleurant. Elle devait avoir à peu près le même âge que Siyanlis.

Le garçon ne prit pas le temps de la réconforter. Il l'agrippa par la main et retourna en courant dans le salon envahi par les flammes, traînant l'enfant terrorisée derrière lui.

Miya jouait désormais sa propre vie. Quelques secondes de plus dans cette fournaise, et ses poumons se consumeraient de l'intérieur, s'ils ne s'emplissaient pas d'abord de fumée mortelle.

Abandonnant le corps de Vesyné à son bûcher funéraire, il chercha à repérer l'entrée du salon à travers la fumée dense. Lorsqu'il crut s'être orienté correctement, il s'élança à travers un rideau de nouvelles flammes.

Il avait survécu à l'incendie du temple du Monument. Allait-il périr ici, dans un second brasier, par la faute de sa propre témérité ?

Le jeune garçon mit toute sa frayeur à profit pour se ruer vers l'issue. Il n'avait plus une seconde à perdre. Sa vie et celle de l'enfant allaient se jouer sur un coup de dés.

Alors, le destin lui joua finalement le sale tour qui devait finir par lui tomber dessus.

Miya mit le pied directement dans un anneau métallique. Emporté par son élan, il fut fauché en pleine course et s'écroula la tête la première sur le tapis du hall d'accueil, entraînant la petite fille dans sa chute. Le souffle coupé, il vit les flammes l'entourer, telles des bêtes voraces prêtes à la curée. Il voulut reprendre son souffle, mais ne réussit qu'à remplir ses poumons d'air sur-chauffé et de fumée piquante.

Dans un geste de désespoir, Miya se redressa.

Non, pas comme ça !

Il se heurta au torse d'un homme musclé.

Pendant un moment, il paniqua. Seul l'homme au poignard occupait son esprit. Il ne voulait pas y songer, mais son imagination lui imposait l'image d'une lame s'enfonçant dans son cœur, et Miya essayait d'anticiper la douleur afin d'y résister.

Alors, une voix tonna dans le hall.

— Tous, dehors ! Tout de suite !

Des mains puissantes agrippèrent Miyalrel. Toussant et larmoyant, le garçon se sentit propulsé vers la porte. Sa vision était pleine de flammes furieuses. Il n'arrivait pas à discerner ceux qui l'entouraient, même s'il avait reconnu la voix du caporal.

Alors qu'il étouffait, que la mort enfonçait ses griffes brûlantes dans sa gorge, Miya surgit brusquement à l'extérieur. L'air frais qui déferla dans ses poumons lui parut glacial. Lorsque les mains le relâchèrent, il s'affaissa sur la pelouse, toussant et crachant.

Des cris parvenaient à ses oreilles. Des cris d'agonie.

Quelque part dans la maison, devenue un gigantesque bûcher, l'homme au poignard périssait dans le feu qu'il avait lui-même allumé, victime de sa propre folie meurtrière.

La poitrine de Miya brûlait. Il avait l'impression que ses poumons étaient encore pleins de fumée nocive. Ce n'était peut-être pas loin de la vérité.

— Sacré petit fou! s'exclama l'un des soldats. Je ne sais pas si tu es un héros ou un idiot! Se lancer là-dedans comme cela — même le grand Rannas aurait reculé!

Toujours agenouillé dans l'herbe, Miya leva des yeux implorants.

— La… la petite fille?

Les soldats du petit groupe échangèrent des regards effarés. Même s'il venait de passer à un poil d'une mort atroce, ce petit chevalier se souciait avant tout de l'enfant inconnue qu'il avait voulu tirer des flammes.

Le garçon prit ce moment de silence pour une réticence à lui avouer l'issue du drame. Sa gorge se noua douloureusement. Venait-il de risquer sa vie en vain ?

— Elle est… ?

— Nous l'avons sauvée, dit l'un des soldats.

Son compagnon portait la petite fille dans ses bras. Le domestique se pressait autour d'eux, cherchant à étreindre l'enfant en larmes, tandis que les soldats l'examinaient attentivement pour s'assurer qu'elle n'avait pas subi de brûlures graves.

— Elle était juste à côté de toi. Tu venais de jaillir d'un vrai torrent de flammes, lorsque tu es tombé la tête contre le sol. Nous vous avons agrippés tous les deux, et traînés dehors. Tu peux remercier le caporal. Sans lui, je crois bien que tu y restais.

L'une des jeunes femmes prit alors la parole.

— Mais sans *toi*, Miyalrel, c'est *elle* qui y restait. Tu l'as vraiment sauvée.

Illuminé par les flammes cruelles qui dévoraient le manoir de Vesyné, le jeune chevalier se surprit à rire nerveusement. Sa main se posa alors sur la pierre de vie de Tanilya, au fond de sa poche, et Miya cessa de sourire. Il avait bel et bien sauvé la vie d'une enfant, mais en ce moment même, d'autres innocents périssaient par dizaines dans la ville enflammée. Lorsque le nouveau jour se lèverait, les victimes seraient probablement trop nombreuses pour être dénombrées avec précision. Et parmi elles se trouveraient beaucoup d'enfants.

Le valet de Vesyné était finalement parvenu à serrer la petite rescapée dans ses bras. On l'entendait répéter un nom à voix basse.

— Nizi… Nizi…

Le nom de la fillette que Miya avait tirée des flammes, et sur laquelle son père pourrait désormais veiller de là-haut, dans l'éternelle lumière de la sphère de paradis.

Chapitre 6

Miya se remettait graduellement des rudes épreuves qu'il venait de subir. Les effets du manque d'oxygène s'estompaient, et les forces lui revenaient. Sa tenue était encore plus sale qu'avant, et sa collection de brûlures et de blessures commençait à prendre de l'envergure, mais une fois de plus, il s'en tirait remarquablement bien.

— Il faut se mettre en mouvement, dit le caporal. Nous ne pouvons pas rester ici. Les forces qui saccagent Nieslev n'épargneront personne. Si nous sommes cernés, nous serons tués sans hésitation. Nous devons être sur le qui-vive, et si l'occasion se présente, faire tout ce que nous pouvons pour repousser ces monstres sans conscience.

Miyalrel ne put qu'admettre le bien-fondé de ces paroles. Leur seul espoir était de rester en mouvement, tout en évitant les légions meurtrières des ennemis inconnus.

Le garçon se releva, et faillit retomber sur-le-champ.

— Aïe! Que…?

Il se pencha et vit, à son pied gauche, l'anneau qui avait failli lui coûter la vie dans le brasier. Au cœur des flammes, il n'avait pas eu l'occasion de voir quel piège sournois s'était refermé sur sa cheville; il pensait qu'il avait simplement trébuché sur un obstacle invisible dans la fumée. À présent, il observait avec étonnement le bijou doré qui était resté accroché à son pied, comme s'il avait délibérément choisi de passer un bracelet incongru à sa cheville.

— Qu'est-ce que c'est que cela?…

L'anneau paraissait assez lourd pour être fait d'or pur. Sa surface était gravée de différentes runes anciennes, que Miya ne savait pas déchiffrer. Il était cependant évident que le bijou avait une valeur considérable.

Conscient que ce serait le seul trésor de Vesyné à survivre à l'incendie, Miya le passa à son poignet. Évidemment, il dut le pousser au-delà de son coude pour qu'il reste en position. Il tira

ensuite la manche de son vêtement par-
dessus l'anneau.

« J'examinerai cela plus tard »,
songea-t-il. « Si je vis assez longtemps. »

— Allons-y, ordonna le caporal.

À l'intention du valet, il ajouta :

— Venez avec nous. Nous vous
mettrons en sécurité.

L'homme secoua la tête.

— Non. Je connais un endroit sûr.
Je dois protéger Nizielle, moi-même.
C'est ce que son père aurait exigé de
moi.

— Son père n'est plus de ce monde,
trancha le caporal. Venez avec nous.
Vous n'êtes pas en sécurité dans les rues
de la ville.

Pendant que les soldats et le domestique se chamaillaient, Miya songea à
Siyanlis, sa « petite sœur », tout aussi
charmante et innocente que la petite
Nizielle. Il avait sauvé Nizi ; il sauverait
sûrement Siya. Il suffisait qu'il par-
vienne jusqu'au temple des Ancêtres,
sans être tué. Cette condition importante risquait toutefois d'être difficile à
remplir.

Si l'armée ennemie comptait d'autres fous criminels comme le tueur pyromane qui avait péri dans le manoir de Vesyné, Miya risquait de ne pas être aussi chanceux la prochaine fois. En vérité, le garçon sentait qu'il avait épuisé sa dose de bonne fortune imaginable, depuis un bon moment. S'il n'avait pas été isolé dans la salle du Monument, lorsque les envahisseurs avaient lancé l'assaut, il aurait pu faire partie des toutes premières victimes.

Le caporal, qui n'arrivait pas à convaincre le domestique de les accompagner, finit par abandonner la partie. Il se tourna vers son détachement et désigna la rue envahie de cendres.

— Mettons-nous en route. La bataille a lieu sur la place, devant le Temple ; nous entendons ses échos jusqu'ici. S'il y a encore un moyen de sauver des vies, nous devons intervenir.

Le regard du soldat se posa sur Miyalrel. Ses traits étaient sévères, mais il ne pouvait entièrement dissimuler la lueur d'admiration qui brillait dans ses yeux.

— Tu as le courage d'un héros, petit homme, mais tu dois risquer ta vie avec plus de discernement. Nous aurions pu être gravement blessés, voire tués, en voulant tirer tes fesses du feu. Lorsque tu fais partie d'une équipe, tu dois toujours penser à ceux qui t'entourent. C'est un devoir fondamental pour un soldat.

L'homme laissa un sourire furtif plisser le coin de ses lèvres.

— Mais je commence à comprendre pourquoi ils ont admis un garçon de ton âge dans les rangs des chevaliers. Les enfants comme toi ne courent pas les rues.

Miya ne put s'empêcher de rougir. Il n'agissait pas dans le but d'être admiré ou respecté ; en fait, les événements s'étaient précipités sans lui laisser le loisir de réfléchir. Mais s'il avait eu le temps d'analyser les risques, aurait-il quand même volé au secours de la petite fille ?

Il devait l'admettre : il l'aurait probablement fait. Ce militaire d'expérience le savait. Peut-être que ceux qui lui avaient décerné son titre de chevalier l'avaient également pressenti.

Les soldats de Nieslev s'étaient remis en route vers les rues de la ville. Miya emboîta le pas. Tant qu'ils allaient en direction du temple des Ancêtres, l'adolescent se sentait prêt à traverser les puits de douleur de Qentawah en leur compagnie. Quelqu'un devait venger Tanilya et sa mère, le père de Nizielle, et toutes les victimes innocentes qui périssaient en ce moment même.

Pendant 10 minutes, il suivit les soldats dans les avenues dévastées de Nieslev. Même si le petit groupe tentait de se déplacer discrètement, Miya savait qu'ils ne pourraient échapper éternellement à la vigilance ennemie. La ville avait été envahie par une véritable armée. Les mercenaires les laissaient provisoirement tranquilles, mais la confrontation était inéluctable. Ce n'était plus qu'une question de temps. Ils entendaient d'ailleurs les clameurs des combats, de plus en plus bruyantes. Chaque pas les rapprochait de l'ultime champ de bataille : une boucherie sauvage sur la place centrale de la ville, devant le fameux temple des Ancêtres.

Au détour d'une maison enflammée, ils furent témoins de la scène dans toute son horreur. Les soldats et les autorités de la ville, secondés par les chevaliers survivants, étaient aux prises avec des forces ennemies beaucoup trop nombreuses.

Des ennemis qui semblaient n'avoir qu'un but : massacrer.

Miya se sentit envahi par la terreur et l'impuissance. Pour quelle raison irait-il sacrifier sa vie sur l'autel de cette violence insensée ? En fin de compte, son rôle passerait inaperçu ; son cadavre s'ajouterait simplement à tous ceux qui jonchaient déjà les dalles unies de la place.

Au moment où le jeune garçon, en dépit de son courage, allait céder à la peur insidieuse qui rongeait ses entrailles, il fut fustigé par une pensée unique.

Siyanlis.

Si quelqu'un devait survivre à ce massacre odieux, il fallait que ce soit elle : Siyanlis, la plus innocente des enfants, déjà condamnée par le destin cruel qui lui avait réservé une vie beaucoup trop courte.

Il faudra traverser cette guerre, songea Miya avec un nœud dans la gorge.

Ils n'avaient pas le choix. De leur position, ils ne pouvaient voir où prenaient fin les combats. Si Miya voulait atteindre le temple des Ancêtres, il allait devoir foncer à travers le carnage.

Nerveusement, il tenta de sourire. S'adressant à ses compagnons, il voulut dissiper la tension qui menaçait de les étouffer.

— J'ai oublié… Lorsqu'on part en guerre, combien faut-il tuer d'ennemis avant de mériter la plus haute gloire d'Inyëlh ?

Le caporal ricana.

— Cent deux… N'y crois pas trop, petit chevalier.

Le jeune garçon se tourna vers le chef du petit détachement.

— J'aimerais… Enfin, si nous devons combattre ensemble, j'aimerais connaître vos noms…

Miya s'attendait à une réplique froide, intransigeante, militaire. Au contraire, il eut la surprise de voir le caporal sourire tendrement.

— Mon nom... Tu sais, c'est la première fois qu'un officier supérieur se soucie de mon nom avant de m'envoyer à la mort.

L'adolescent ravala sa salive. Il avait oublié ce petit détail inconfortable. En dépit de son âge, il était réellement en droit de prendre le commandement du groupe. Le caporal avait dû finir par s'en souvenir, peut-être en voyant Miya démontrer sa bravoure au manoir de Vesyné.

— C... ce n'est pas un ordre, balbutia-t-il.

— Tu es brave, Miyalrel, mais tu n'as pas encore l'habitude de la guerre. N'hésite jamais à faire respecter ton autorité. Tu as mérité ce titre de chevalier. Sois-en fier et digne.

Le caporal ajouta ensuite, sourire aux lèvres :

— Et mon nom est Relow. Caporal Has Relow, au service de la garnison de Nieslev.

— Rin Axila, dit spontanément l'une des jeunes femmes du détachement.

Les trois autres soldats se présentèrent également, amusés et réconfortés par la banalité de l'échange, alors que la mort les guettait à brève échéance. Miya apprit ainsi que l'autre femme se nommait Nia Navis, que le second soldat masculin avait pour nom Dal Nixo, et que le dernier membre du peloton — le seul Xinjis Râ du groupe, hormis Miyalrel — portait le nom de Liyelves. Le nom de famille n'existait pas en tant que tel chez les Xinjis Râ ; s'il était nécessaire d'être plus formel, on ajoutait normalement au prénom la ville ou le royaume d'origine de l'individu. Il était également coutumier de préciser le nom du père, pour les garçons ; ou celui de la mère, pour les filles. À défaut de tout, « Liyelves de Xinjis » était aussi acceptable.

— Enchanté de vous connaître. Vous le savez déjà, mais je m'appelle Miyalrel. Faites comme tout le monde et appelez-moi Miya.

En dépit de son rang prestigieux, le garçon ne démontrait aucune arrogance ; curieusement, cela ne faisait que décontenancer les soldats, habitués à une hiérarchie rigide dans laquelle on ne s'adressait *pas* à un supérieur en employant le diminutif de son prénom.

Malheureusement, le temps était mal choisi pour apprendre au chevalier Miyalrel qu'il devait développer une mentalité militaire plus stricte, s'il voulait commander le respect des troupes. Les combats sur la place publique tournaient mal pour les défenseurs de Nieslev.

Le temps pressait trop pour baratiner.

Alors qu'ils allaient se mettre en position et choisir leurs premières cibles, Miya et ses cinq compagnons furent eux-mêmes pris pour cible.

Des flèches filèrent dans l'air chaud et lourd de fumée. Trois d'entre elles se plantèrent dans la façade du bâtiment, dans l'ombre duquel le petit groupe se tenait prêt.

— Archers! cria Dal Nixo.

— Dispersez-vous! lança le caporal Relow.

Miya et les autres ne se firent pas prier. En s'écartant les uns des autres, ils offrirent une cible moins tentante aux archers ennemis. Liyelves et Relow furent ceux qui les débusquèrent, et dès lors, un combat féroce s'ensuivit.

— C'est parti! dit le soldat Nixo avec trépidation.

Instinctivement, Miya chercha ses compagnons des yeux. Il voyait Nia Navis courir auprès de Nixo, et savait que Relow et Liyelves étaient aux prises avec les archers, mais il n'apercevait plus Rin Axila. Perplexe, le garçon regarda derrière lui, même s'il était impossible que la jeune femme eût déjà été distancée.

Un sentiment d'horreur envahit Miyalrel.

Rin n'avait pas été distancée. Elle n'avait jamais quitté l'abri de la façade.

Dans la première volée de flèches, un trait avait fait mouche. La jeune femme l'avait reçu en pleine tête, juste au-dessus de l'oreille gauche. La flèche avait transpercé son cerveau et l'avait tuée sur le coup. Elle n'avait jamais eu le temps d'émettre une plainte.

Sa mort était passée complètement inaperçue.

Miya venait à peine d'apprendre son nom — et voilà qu'elle n'était plus de ce monde. Si le garçon n'avait pas songé à tourner la tête, il ne l'aurait jamais su.

Un cri de détresse quitta ses lèvres. Cela ne pouvait plus durer. Il devait faire quelque chose — n'importe quoi. Quelqu'un devait *payer* pour cette succession de drames.

Et soudain, vomi par un banc de fumée, un candidat au châtiment fit son apparition.

Le guerrier ennemi n'était plus indemne. Sa cotte de mailles avait été fendue par un coup d'épée et du sang avait taché son plastron. Toutefois, l'homme avait probablement vaincu son adversaire, puisqu'il était toujours en vie.

En voyant le jeune Xinjis Râ devant lui, il décrocha un sourire torve.

— Ton tour, petit morveux, dit-il en lui portant un coup d'épée.

Miya esquiva l'assaut avec agilité, mais comprit avec angoisse qu'il ne pourrait échapper à l'affrontement. Il allait devoir tuer cet homme — ou mourir.

Cette fois, il n'aurait pas le loisir de laisser fuir son ennemi.

Le guerrier passa à l'attaque. Malgré sa blessure à la poitrine, il se croyait manifestement invulnérable aux attaques d'un jeune garçon. Peut-être reconnaissait-il l'uniforme que Miya portait; si c'était le cas, cela ne semblait guère l'effrayer.

L'épée s'abattit sur la tête du jeune chevalier. Elle rencontra la lame gauche de la sinlé levée à l'horizontale. Le coup imprima une accélération angulaire à l'arme mortelle. Toute la science du maniement de la sinlé reposait sur les principes des rotations en trois dimensions : correctement manipulée, l'arme était presque une chose vivante, indépendante de son maître.

Miya en profita pleinement. En baissant le corps, il laissa le mouvement de son arme faire le travail à sa place. La lame droite frappa le forban à la joue et éclaboussa son visage de sang.

Tel un danseur gracieux, Miya était déjà hors de portée du prochain coup d'épée. Lorsque la lame ennemie fendit l'air, il imprima une rotation mortelle à sa propre sinlé.

Son corps suivit le mouvement. Il fit un grand bond gracile de gauche à droite. L'arme traça un arc scintillant de droite à gauche. Le mercenaire eut la gorge tranchée.

Alors que le scélérat s'effondrait pour mourir, une ombre tomba sur Miyalrel.

Il tourna la tête. En un éclair, il vit la face patibulaire d'un autre guerrier, prêt à frapper dans son dos. Le garçon ramena violemment sa sinlé vers lui, comme pour enfoncer une de ses lames dans sa propre poitrine. Mais Miya esquivait déjà son propre geste suicidaire.

La lame mortelle passa dans la fente entre son torse et son bras et plongea droit dans le cœur du tueur qui allait mettre fin à ses jours.

Miya avait entendu dire qu'une mort «instantanée» n'existait pas vraiment. Il se propulsa aussitôt vers l'avant, suivant l'axe de sa sinlé. Lorsqu'il atteignit l'extrémité de l'arme, il virevolta. Comme il l'avait deviné, l'homme avait rassemblé ses dernières forces et abattu son épée. S'il était resté sur place, il aurait suivi le mercenaire dans l'Au-delà, la tête fendue, telle une courge. Au lieu de cela, le fourbe chuta, emporté par l'élan de son assaut perfide, et s'embrocha, lui-même, sur la sinlé qui saillait du milieu de sa poitrine.

Il ne bougea plus.

Miya avait l'impression que son propre cœur allait éclater, tant il battait follement. Tout s'était joué en quelques secondes. Un léger mouvement de travers, un simple geste malheureux, et il serait mort à la place de ses ennemis.

Telle était la férocité impitoyable de la guerre.

Le garçon tremblait et avait envie de vomir.

Dans son désarroi, il faillit commettre l'irréparable : s'enfuir sans sa sinlé. Il avait déjà fait cinq ou six pas sans son arme, lorsqu'il se retourna.

Frémissant de dégoût, le jeune garçon fit rouler le cadavre du second mercenaire d'un coup de botte. Il empoigna ensuite sa sinlé par la tige centrale, et tira de toutes ses forces. La lame sortit du corps avec un bruit écœurant.

Miya tourna la tête, la gorge pleine de bile. Il allait vraiment vomir.

Brusquement, tout sentiment de nausée fut chassé de son esprit par l'effroi. Une flèche avait frôlé son épaule gauche.

Sans hésiter un instant de plus, Miya fonça. Vers le temple des Ancêtres. Vers Siyanlis.

Jusqu'à son dernier souffle, *il irait vers Siyanlis.*

Chapitre 7

Alors qu'il courait sur la place transformée en champ de bataille, Miya constatait avec horreur que les humains n'étaient pas les seuls combattants. Çà et là, des êtres immondes rampaient au sol, des bêtes griffues couvertes de gueules, qui sautaient à la gorge des habitants de Nieslev.

Aucun animal n'avait auparavant ressemblé à *cela* — alors d'où sortaient ces abominations ?

Miya en avait tué une dans le temple du Monument. Il savait donc qu'il devait s'en éloigner le plus possible. Mais il était difficile de contourner le danger alors que les forces ennemies semblaient justement se concentrer autour du temple des Ancêtres.

Le jeune chevalier croyait se débrouiller raisonnablement bien. Ce qu'il ignorait, c'est qu'il avait été aperçu, et ce n'était pas par un guerrier ennemi humain.

Il poussa un cri d'horreur lorsqu'il vit surgir le monstre devant lui. Il avait affaire à un chien de guerre, en quelque sorte, un molosse recouvert d'une sorte d'armure de cuir, mais ce n'était pas un animal normal. Ses deux orbites avaient été évidées, ne laissant aucune trace des yeux, et sa gueule salivante était artificiellement pourvue d'une deuxième rangée de dents acérées.

Frappé de terreur devant cette apparition infernale, Miya faillit se laisser égorger. Il ne put réagir qu'à la dernière seconde, et à partir de ce moment, ce fut purement l'instinct de conservation qui dicta ses mouvements. Il fit tournoyer sa sinlé dans tous les sens, repoussant le monstre avec l'énergie du désespoir, mais l'affreuse créature ne ressentait pas la douleur.

Alors que Miya allait tendre la main pour attraper la kyansé fixée à sa ceinture, il y eut un sifflement bref. Venue de nulle part, une flèche se planta dans la tête du molosse aveugle. Elle dut embrocher ce qui lui servait de cerveau, car la bête se figea en pleine agression, gueule ouverte et salivante, avant de s'effondrer, tel un répugnant sac de chair, sur les dalles.

Tremblant encore de frayeur, le garçon tourna la tête vers le point d'origine de la flèche. Il vit un homme surgir de la fumée : Liyelves.

Le Xinjis Râ avait dû s'emparer de l'arc d'un ennemi vaincu. Vraisemblablement, le caporal Relow en possédait maintenant un aussi, mais Miya ne l'apercevait pas.

— Merci ! lança l'adolescent avec reconnaissance.

— Avec plaisir, Miyalrel !

Et ce furent les dernières paroles de Liyelves dans cette vie.

Son meurtrier apparut droit derrière lui, comme si un dieu mesquin l'avait simplement posé là. Il y eut un grand éclair argenté. Une lame sépara nettement la tête de Liyelves de ses épaules. Quelques gouttes de sang tachèrent la joue gauche du jeune garçon horrifié.

Alors que le corps de Liyelves s'effondrait en deux parties distinctes, Miya se retrouva face à face avec un homme vêtu de mailles grises. Il se tenait pile devant lui, et lui interdisait tout passage. Pendant un moment, Miya souhaita ardemment que l'autre n'ait pas envie de s'en prendre à un vulgaire petit garçon. Toutefois, lorsqu'il croisa le regard méprisant de son ennemi, ses espoirs s'évanouirent.

Le tueur tenait une sinlé argentée, dont les lames étaient plus longues que celles de la sinlé de Miyalrel. Les proportions de l'arme étaient évidemment adaptées à un combattant adulte. Lorsque l'homme vit la sinlé bleue que Miya serrait désespérément dans son poing, un sourire cruel apparut sur ses lèvres. L'arme splendide de ce jeune garçon valait sûrement une petite fortune sur le marché. Or, pour s'en emparer, il n'avait qu'à ajouter une tête blonde et bleue à son tableau de chasse.

Rien de plus facile.

Le cœur battant à tout rompre, Miya tenta de se remémorer le jour où il avait défait le maître Xis en combat réglementaire, aux Épreuves de la gloire d'Inexell. Contre toute attente, il avait gagné contre le vénérable sinléya — mais le vieux Xis ne se battait pas pour le tuer, lui.

Tout en parant le premier assaut de son ennemi, l'adolescent se prépara à mourir avec bravoure, si telle était vraiment sa destinée.

— *Ha, ha, ha!* s'exclama le sinléya ennemi. Tu veux te défendre?

C'était l'évidence même. Miya n'allait tout de même pas se laisser assassiner.

Pour se donner du courage, il tenta d'imaginer Xis devant lui. Comment avait-il remporté la victoire? Tout d'abord, il l'avait déjoué d'une feinte habile.

Une grimace déforma le visage de Miyalrel. Puis, un cri de souffrance quitta ses lèvres. Une longue estafilade, peu profonde mais brûlante, se dégageait de son nombril au milieu de son ventre. Encore une fois, le petit chevalier regretta amèrement son absence de protection. Il aurait donné bien des émeraudes pour une cotte de mailles en ce moment.

La feinte n'avait pas fonctionné. L'autre avait vu venir la manœuvre. Miya devait tenter une autre stratégie.

— Oh, pauvre petit! se moqua cruellement son adversaire. Est-ce que cela fait mal?

Un rictus déforma son visage.

— Pas de souci... Après ceci, tu n'auras plus mal.

À la surprise de Miyalrel, le mercenaire tomba par terre. Ou plutôt, il s'accroupit en tournoyant. En même temps, sa sinlé traça un arc magnifique vers le haut.

Miya renversa la tête. Une esquive désespérée. En même temps, il ferma les yeux, se voyant déjà mort. Même s'il n'était pas décapité, comme Liyelves, il serait égorgé.

La lame lui entailla la peau sous le menton.

Ce fut une douleur vive, mais passagère; la blessure était si nette qu'elle s'était presque refermée toute seule. Seul un mince filet de sang coulait dans le cou du jeune garçon.

Miya savait que les grands sinléyas possédaient des techniques redoutables. Sa propre maîtrise de l'arme à deux lames lui venait naturellement; il esquivait les coups et attaquait au gré de son intuition, profitant de sa grande agilité et d'une dextérité phénoménale pour enchaîner des coups imprévisibles à des angles inattendus. Toutefois, les techniques de combat d'un sinléya professionnel lui conféraient l'avantage, même en face d'un «enfant prodige». Miya ne pouvait guère parer des coups savants qui lui étaient inconnus.

Le garçon songea tristement à Siyanlis. Il avait presque réussi. Il avait presque atteint le temple des Ancêtres. Mais à moins d'une intervention divine, il allait maintenant mourir au combat, tel un brave petit chevalier.

Son adversaire en était venu à la même conclusion.

— Tu n'échapperas pas deux fois à ma technique, persifla-t-il.

Miya savait que c'était probablement vrai. Alors, il fit quelque chose que l'autre n'aurait jamais pu imaginer.

Au moment où l'ennemi tendait brusquement sa sinlé devant lui, transformant l'arme en pal diabolique, le jeune garçon tomba par terre. Ou plutôt, il s'accroupit en tournoyant. En même temps, sa sinlé traça un arc magnifique vers le haut.

Il venait de rendre la pareille à son adversaire. Après avoir vu la technique une seule fois, il l'avait reproduite à la perfection.

La sinlé d'argent du mercenaire sépara les cheveux de Miyalrel au moment où l'adolescent pliait les genoux. Sa propre sinlé traça la courbe mortelle qui devait égorger son ennemi.

L'autre esquiva.

Ce fut miraculeux, tout aussi stupéfiant que l'esquive initiale de Miyalrel. Par deux fois, la technique sinléyane du cercle du Vent avait été réalisée. Par deux fois, la victime visée s'en était tirée avec une plaie sous le menton. Mais dans le cas du sinléya ennemi, ce fut une colère abjecte — et non un immense soulagement — qui envahit son esprit.

— *Petit xarlep !* hurla-t-il.

Il fonça. La sinlé traça une demi-douzaine de courbes en même temps. Mîyalrel n'eut pas le choix. Il fit jouer son arme avec toute sa maîtrise innée. Dans une série d'éclairs bleutés et argentés, les armes s'entrechoquèrent, de tous les angles. La vitesse des coups et des parades était hallucinante. Il était presque impossible de croire que l'un des combattants était un enfant. Même aux Épreuves de la gloire, un combat pareil n'avait pas ravi la foule depuis des années.

Et soudain, au milieu du chaos, il y eut une longue gerbe de sang.

Les jambes de Miya ployèrent sous le poids de son corps. Le garçon s'affaissa. Pendant un moment, le sin-léya de l'armée ennemie resta debout, tel un gladiateur savourant sa victoire.

— P... petit x...

Du sang quitta ses lèvres.

Tel un monolithe, le guerrier s'effondra la tête la première. Il avait été littéralement foudroyé. La sinlé de cristal bleu avait accompli son œuvre mortifère. La sinlé d'argent n'avait pu triompher.

Affaissé à genoux, Miya grimaçait de douleur, les larmes aux yeux. Cette fois, il ne s'en était pas tiré sans mal. Ses blessures étaient nombreuses et irradiaient en douleur cuisante. L'autre lui avait entaillé une cuisse, les deux flancs, le bras droit, la joue gauche et le sourcil droit. Cette dernière blessure, la plus insignifiante de toutes, était pourtant celle qui gênait le plus le garçon, car le sang n'arrêtait plus de couler goutte à goutte dans son œil.

Si Siyanlis n'avait pas occupé chacune de ses pensées, Miya aurait succombé au découragement. Il serait resté prostré là, prêt à mourir à son tour. En peu de temps, il avait tué trois hommes. Il avait agi en état de légitime défense, et rien ne pouvait lui être reproché. Mais *tuer*, en soi, n'était pas aussi glorieux que dans les récits des guerres légendaires. Tuer, en réalité, c'était arracher la vie à un être vivant dans la violence et le sang.

Il était impossible d'en retirer la moindre fierté.

Fermant les yeux pour endiguer ses larmes, le garçon se redressa en chancelant. Et alors, en un éclair, il sut qu'il ne reverrait jamais Siyanlis.

Un quatrième guerrier lui faisait face, et Miya n'avait plus la force de se battre.

Chapitre 8

Le guerrier poussa un cri furieux. Épée brandie, il se jeta sur Miyalrel. Il savait qu'il avait affaire à une victime facile. Puisque l'occasion lui avait été donnée de massacrer impunément ceux qui se trouvaient sur sa route, il allait s'en donner à cœur joie.

Miya se défendait avec l'énergie du désespoir, mais il savait qu'il ne gagnerait pas ce nouveau combat à la loyale. Il tenta désespérément de réfléchir. Pouvait-il prendre la fuite ? Appeler à l'aide ? Le forban aurait-il pitié de lui, s'il s'effondrait à genoux et implorait miséricorde ?

Plutôt mourir, songea le jeune garçon avec colère.

Il allait tenter de répéter la technique sinléyane qu'il venait d'apprendre. Voilà ce qu'il ferait. Ce nouveau guerrier ne verrait jamais venir le coup.

Au moment où l'épée de son ennemi fendait l'air, Miya se laissa tomber en position accroupie et heurta le corps sans vie du sinléya vaincu.

Alors qu'il perdait l'équilibre et chutait lamentablement, il put apprécier la tragique ironie. Finalement, le tueur à la sinlé d'argent aurait sa revanche. Ce serait par sa faute, même au-delà de la mort, que Miya serait radié du monde des vivants.

Le guerrier avait maintenant tout le loisir de transformer son jeune adversaire en viande hachée. Pourtant, les coups mortels ne venaient pas. Le garçon entendait les échos d'un combat proche, et dut finalement lever la tête pour comprendre ce qui arrivait.

Le caporal Relow était aux prises avec son ennemi dans un affrontement furieux.

— Vous avez fait assez de ravages ! grinça Relow rageusement. Je ne vous laisserai pas tuer nos enfants !

Il se tourna alors vers Miya et s'écria :

— Enfuis-toi ! Tout est perdu ! Reste en vie, et venge-nous un jour !

— Je ne peux pas fuir! protesta désespérément Miyalrel. Je suis un chevalier!

— Même un chevalier n'est pas tenu de se suicider! Nous ne pouvons plus gagner cette guerre! Fuis pendant que tu le peux encore — grandis et réalise ton potentiel!

D'un coup d'estoc, Relow mit fin aux jours de son adversaire. Alors que le guerrier vaincu s'effondrait, le caporal se tourna vers Miya et lui adressa un sourire triste.

— Pour moi, c'est fini.

Miya vit alors le sang qui tachait l'uniforme du soldat. Relow était grièvement blessé. Miya ne savait pas s'il emporterait 102 ennemis avant de succomber, mais il souhaita que les hautes lumières d'Inyëlh l'accueillent tout de même, lorsque viendra le moment fatidique.

Le cœur lourd, le garçon prit la fuite. Il fonça... non pas vers les banlieues, ni vers des issues lointaines de la ville, mais tout droit vers le temple des Ancêtres assiégé par les forces ennemies.

Couvert de cendres, de sang, de saleté, de sueur, Miyalrel n'était plus un petit Xinjis Râ très présentable. Affaibli par la douleur persistante de ses blessures, il ne savait pas s'il vivrait encore longtemps dans l'enfer de Nieslev. Mais il ne renierait jamais sa promesse à Siyanlis.

Il évita une troupe de guerriers en plein combat furieux, puis courut derrière un chariot enflammé pour éviter un nouveau groupe qu'il n'avait pas immédiatement aperçu. Personne ne s'intéressait à lui de trop près. Pour l'instant, il n'avait pas de mercenaires aux talons. Cela lui apportait un certain réconfort, mais il était néanmoins conscient du danger qui le menaçait. À tout moment, un assassin pouvait surgir et lui trancher la tête.

Alors, devant lui, le temple des Ancêtres apparut dans toute sa splendeur.

La fumée omniprésente s'était dissipée ; un coup de vent avait balayé les nuages de cendres. Devant Miya, le haut bâtiment se dressait, tel un château fort.

Et brûlait de mille feux.

Un sentiment de détresse profonde envahit toute son âme. Le temple des Ancêtres, symbole de la fierté de Nieslev, n'avait pas su résister à l'assaut des envahisseurs.

Et à l'intérieur…

Sa voix faiblit et des larmes coulèrent sur ses joues crasseuses.

— Non, Siya… S'il te plaît, ne meurs pas…

Le jeune chevalier courut en direction du Temple, sans plus se soucier de sa propre sécurité. Il fallait qu'il trouve le moyen d'y entrer, pour sauver sa seule et meilleure amie.

Les cruels envahisseurs étaient partout autour de lui. Ils fourmillaient dans les rues autour du Temple. Pourtant, comme par miracle, ils n'avaient pas encore remarqué la silhouette véloce du petit Xinjis Râ, qui fonçait à toute allure vers le bâtiment. Miyalrel, pour sa part, scrutait les entrées du Temple à travers les bancs de fumée. Il en cherchait une qui serait libre d'ennemis.

Il fut alors visité par un vieux souvenir.

— La vieille porte...

Il songeait à cette entrée presque secrète qu'il avait utilisée lorsqu'il avait rendu visite à Siyanlis, voilà quelques mois, avant les Épreuves de la gloire d'Inexell. Ce vieux portique gris sur le côté du Temple, qui ressemblait à la porte d'une remise et que personne n'aurait remarqué en temps normal. C'était la solution rêvée. En revanche, cette voie d'accès se découpait presque à l'arrière du temple des Ancêtres, et Miya savait que le temps pressait désespérément.

Pendant un moment, il songea à entrer par la porte principale, mais à peine avait-il fait pas dans cette direction qu'une flèche se brisa sèchement sur les dalles, tout près de son pied. Il y avait un archer sur les marches extérieures du Temple.

Miya changea immédiatement de direction. Il choisirait la porte grise. Il n'avait plus le choix s'il souhaitait éviter les ennemis sanguinaires.

Il n'y eut pas de deuxième flèche. L'archer avait peut-être perdu Miya de vue. Ou peut-être avait-il été occupé ailleurs.

Comme s'il était seul dans tout l'Univers, le garçon courut le long du mur extérieur du Temple. En son poing, il serrait farouchement sa sinlé de cristal bleu, son seul lien avec la vie heureuse qu'il avait connue jusqu'au lever de ce jour tragique.

Encore une fois, il essaya de comprendre ce qui se passait. Pourquoi ces ennemis inconnus avaient-ils attaqué Nieslev? Pourquoi s'acharnaient-ils sur les habitants de la ville? Que voulaient-ils au juste? Il était impensable qu'un assaut de cette envergure ait été donné uniquement dans le but de verser le sang d'innocents!

Fendant les nuages de fumée âcre qui envahissaient l'atmosphère, Miya cherchait des yeux la vieille porte grise. Il était mû par un sentiment d'urgence qu'il n'arrivait pas à réprimer. Intuitivement, il savait que les jours de Siyanlis étaient comptés — si elle n'était pas déjà morte dans le Temple enflammé.

Cependant, il savait aussi qu'il devait rester sur ses gardes. S'il était tué, personne ne serait en mesure de sauver Siya.

Cette prévoyance sauva peut-être sa vie.

Alors que les yeux de l'adolescent se posaient enfin sur la vieille porte, il aperçut du coin de l'œil une paire de créatures immondes issues tout droit des enfers : deux outres de chair garnies de gueules et de griffes. Elles se dépla-çaient rapidement sur leurs tentacules mous, directement vers lui, comme si elles avaient déjà senti sa présence.

Miya fut partagé entre deux ins-tincts contradictoires : celui de défendre sa vie, et celui de se précipiter à l'inté-rieur du Temple.

Cette fois, la proximité de la porte grise fut décisive.

Le garçon s'élança, tel un champion de la course à pied. Avec des crachats hideux, les monstres se jetèrent à la curée. Alors que Miyalrel comblait la distance qui le séparait du portique, les créatures infernales fonçaient sur lui.

Le jeune chevalier sentit la peur nouer son estomac. Si la porte était verrouillée ou bloquée, c'en était fait de lui. Il tuerait peut-être l'un des monstres ; l'autre se chargerait de lui.

Il tendit la main, agrippa la poignée et imprima une traction violente au battant.

La porte s'ouvrit à la volée.

L'immense soulagement qui envahit Miya ne l'empêcha pas de garder ses poursuivants à l'esprit. Il se précipita à l'intérieur du Temple, fit volte-face, et referma la porte avec une violence retentissante. Au même instant, une masse de chair flasque heurta le battant de l'autre côté, produisant le son d'un baril d'entrailles se déversant sur le plancher d'un abattoir.

Dans la pénombre enfumée, Miya chercha désespérément le verrou. Ses mains tremblantes n'arrivaient pas à le localiser. Lorsqu'une seconde collision se fit entendre, il céda à l'effroi. Au lieu de chercher à verrouiller la porte, il virevolta et piqua le long du corridor. Il connaissait bien le temple des Ancêtres. Cela lui laisserait une chance de semer ces deux abominations, si elles parvenaient à s'introduire dans le bâtiment.

La colère tordait le cœur du jeune garçon. Les hommes auxquels ces créatures appartenaient avaient envahi Nieslev et massacré ses citoyens, sans la moindre pitié. Ils avaient tué pour le plaisir de tuer, sans se soucier de l'identité de leurs victimes innocentes. Contre de tels ennemis sans scrupules, il ne pouvait plus se permettre de ressentir la peur.

Ces démons méritaient de mourir, et leurs monstres également.

Miya plongea corps et âme dans l'enfer du temple des Ancêtres. Partout, autour de lui, le feu faisait rage. Comme dans le temple du Monument. Comme dans le manoir de Vesyné.

Siyanlis.

Les niveaux supérieurs lui étaient défendus par des rideaux de flammes, mais les salles des niveaux inférieurs, où les neuf Reliques sacrées étaient exposées, étaient toujours libres d'accès.

Siyanlis!

Si les prêtres du Temple s'étaient réfugiés quelque part, ce serait là-dessous. Pour défendre les Reliques, mais aussi pour se mettre à l'abri, dans les chambres fortes pourvues de voies d'aération indépendantes, et échapper au feu. Si Siya était encore en vie, elle serait là.

— Attends-moi, petite sœur ! Attends-moi !

Et le garçon plongea dans l'épaisse fumée grise, pour descendre les degrés qui menaient aux niveaux inférieurs... ainsi qu'à une jolie fillette aux cheveux bleus.

Qinlleh

Le grand prêtre du
Temple Ancestral de
Nieslev est un érudit qui
a transmis de nombreuses
connaissances à la petite
Siyanlis.

© 2009 Mylène Villeneuve

Chapitre 9

Les salles des niveaux inférieurs avaient été dévastées, pillées par les armées ennemies. La destruction avait été purement gratuite, sans but ni raison. Quant aux prêtres du temple des Ancêtres, ceux qui avaient voulu s'opposer aux ennemis avaient péri; leurs cadavres avaient été abandonnés sur place dans les chambres ruinées.

Les yeux pleins de larmes, Miya courait vers la grande salle où étaient exposées les Reliques. Il ne songeait qu'à Siyanlis; son petit visage souriant occupait toutes ses pensées. S'il fallait qu'il la retrouve morte, il n'aurait jamais assez d'une vie pour pleurer.

D'ailleurs, des larmes coulaient déjà sur ses joues.

— S'il te plaît, Siya… Sois vivante!…

En coup de vent, Miya surgit dans la salle des Reliques. Il y aperçut de nouveaux cadavres, mais aussi, contre toute attente, quelques survivants. Un homme en particulier se tenait au milieu de la salle : un homme que Miya reconnaissait. À cet instant, le garçon manqua de fondre en larmes, tant son soulagement et sa joie étaient immenses.

Enfin, quelqu'un à qui il allait pouvoir se fier ! Quelqu'un qui soulagerait sa douleur, qui l'aiderait à surmonter cette journée terrible !

Des larmes de bonheur se substituèrent à celles que Miya versait jusqu'alors pour Siyanlis.

— *Qinlleh !*

Le grand prêtre du temple des Ancêtres leva la tête en entendant son nom. Aussitôt, il aperçut le jeune garçon. Une expression de surprise apparut sur ses traits ensanglantés.

— Mi… Miya ?

L'adolescent serra le vieil homme dans ses bras.

— C'est moi, Qinlleh !… Que se passe-t-il ?… Où est Siya ?

Difficilement, le vieux sage leva la tête et désigna l'autel derrière lui. Sur cette table de pierre en forme d'étoile à neuf branches reposaient les neuf Reliques qui faisaient la gloire et la fierté du temple des Ancêtres. Nul autre temple, dans nulle autre ville, ne possédait neuf Reliques ancestrales. Les autres n'en détenaient que deux ou trois, parfois une seule.

— Les Reliques… Ils sont partis… avec les Reliques.

Miya jeta un regard consterné à l'autel. Qinlleh avait raison, mais seulement en partie. Des Reliques avaient bel et bien été volées. Mais certaines étaient encore là.

— Il en reste quatre.

— Nous les avons défendues… Reprises…

Qinlleh parlait avec difficulté. Apparemment, le vieux prêtre était gravement sonné. Avait-il subi une commotion ? Il avait l'allure ivre d'un homme qui vient d'émerger de l'inconscience. Il ne portait pourtant aucune blessure apparente, ce qui tendait à prouver qu'il n'était pas en danger de mort. Le vieux Qinlleh avait été bâti pour durer.

Sans pouvoir se retenir, Miya leva les mains et prit le vieil homme par les épaules.

— Qinlleh, où est Siya ? Où est-elle ?

— Les Reliques... Miyalrel... Tu dois...

— *Où est Siya ! ?*

Voyant la détresse absolue de son jeune protégé, Qinlleh posa une main tranquille, réconfortante, sur son épaule.

— Siya est en haut, Miya. En sécurité, barricadée dans sa chambre.

— M... Mais... Le Temple brûle là-haut !

Presque sous l'effet d'un coup de fouet, les jambes de Miya se détendirent. Toutefois, elles ne propulsèrent pas son corps. La main de Qinlleh s'était resserrée sur son épaule. Le vieux prêtre parlait maintenant avec force et détermination.

— Miyalrel, tu dois les rattraper. Ces forbans sont partis avec les Reliques. Je suis convaincu qu'ils sont venus exprès pour cela. Ce sont les *Reliques* qu'ils veulent. Tu dois les reprendre !

Pour le grand prêtre, à cet instant même, rien n'était sans doute plus important que les Reliques sacrées du temple des Ancêtres. Même Miya était vaguement conscient de l'envergure de ce vol. Les Reliques n'étaient pas que des vestiges symboliques d'une ère révolue. Elles possédaient de véritables propriétés, de vrais pouvoirs, et certaines étaient extrêmement dangereuses.

C'était donc pour cela que l'armée maudite avait envahi la ville.

Incapable de contenir ses émotions, Miya tremblait dans l'étreinte du vieil homme, envahi par une colère et une détresse croissantes.

— Si... si je pouvais tous les *tuer* !...

Qinlleh secoua la tête.

— Miya, ne gaspille pas ta vie pour ces monstres. Trop de victimes ont déjà été sacrifiées. Pas toi aussi. *Pas toi aussi*. Tu es l'enfant de la race impossible, le plus jeune chevalier de l'histoire des Cent Royaumes — alors, *réussis* l'impossible. Récupère nos cinq Reliques, et reste en vie !

Les yeux pleins de larmes, le garçon hocha solennellement la tête. La détermination de Qinlleh était devenue la sienne. Peut-être n'était-il qu'un enfant, mais il était un enfant que ces misérables apprendraient à connaître.

Et Qinlleh lui faisait confiance. Le vieux clerc le prenait entièrement au sérieux. Il savait que Miya pouvait réussir à traquer ces forbans et à leur arracher les Reliques volées. Alors, l'adolescent se jura qu'il ne décevrait pas le grand prêtre.

Il allait les faire payer.

Il rebroussa chemin en courant, afin de remonter au rez-de-chaussée. S'il le fallait, il traverserait les flammes de l'enfer. Pour Qinlleh. Pour les Reliques. Et pour elle.

Pour Siyanlis.

Autour de lui, les flammes paraissaient reculer pour lui céder le passage.

Chapitre 10

Jaillissant d'un rideau de flammes, Miya prit pied au palier supérieur, à l'entrée du corridor qui donnait accès aux salles de prière privées. Les hommes étaient là. Il les entendait. Même dans le Temple enflammé, ils prenaient encore tout leur temps, sûrs de leur victoire totale et écrasante. Même la possibilité que la voûte du Temple s'effondre sur eux ne paraissait pas les préoccuper.

Pris d'une rage qu'il ne contrôlait plus, Miya cria de tous ses poumons.

— Où êtes-vous ? *Montrez-vous !*

Les voix cessèrent de parler, marquant un instant de surprise. Puis, elles se rapprochèrent. Le garçon attendit l'arrivée des bouchers de Nieslev, sinlé brandie à l'horizontale. Les flammes rugissaient dans son dos, dessinant une arrière-scène infernale.

Mais, étonnamment, ce fut une toute petite voix qui se fit alors entendre.

— Miya ?…

Aussitôt, le jeune garçon sentit une grande allégresse envahir son cœur.

— Siya! s'écria-t-il.

Il l'aperçut au même instant, dans l'encadrement d'une porte, plus faible que jamais. Elle ne tenait presque plus debout.

Les larmes montèrent tranquillement aux yeux de Miyalrel.

— Siya... Petite sœur... Qu'est-ce qu'ils t'ont fait?...

Le visage de la petite fille était tuméfié. Manifestement, elle avait reçu une volée de coups, gracieuseté de l'un des immondes bourreaux qui venaient vers lui en ce moment même. Siyanlis parvenait encore à sourire en voyant son ami, mais il était clair qu'elle avait très mal. Elle allait bientôt partir pour Inyëlh, et tout l'amour que Miya lui vouait n'y changerait rien.

Mais sa colère, elle, ferait une différence.

Ceux qui l'avaient blessée le regretteraient amèrement.

Deux silhouettes avançaient vers lui. Deux hommes, qui se précisaient de plus en plus à travers la fumée. Les flammes ardentes dansaient dans son dos, leur souffle chaud communiquant une énergie nouvelle à son corps fourbu. Quelque chose bouleversait son âme. De toute sa vie, il n'avait jamais ressenti un tel désir de vengeance aveugle.

Soudain, il ouvrit grand les yeux.

— N... Nirvô !

Le dénommé Nirvô sourit largement en apercevant le jeune chevalier. Peut-être ne voyait-il qu'un garçon couvert de suie, aux cheveux complètement gris et sales, mais il devinait instinctivement qui lui faisait face.

— Serais-tu Miyalrel ?... Le petit rat xinjis ?

Miya frémissait de fureur.

— *Nirvô !*... C'est toi, qui as ordonné ce massacre ?

— Mais non. Je travaille simplement pour son compte. Oh, laisse-moi deviner. Tu es venu me reprendre les Reliques.

Sur ce, Nirvô éclata de rire. Sans laisser prévoir son geste, il lança de sa main nue un carreau d'arbalète en direction de Miyalrel. L'adolescent attrapa la pointe métallique d'une main, tout en gardant l'autre sur sa sinlé. Nirvô riait toujours.

— La cinquième Relique des ancêtres, si je ne m'abuse. Le carreau d'arbalète avec lequel le roi Tarxë perça l'œil du serpent fou Zirxolxl. Je n'en ai pas besoin. Garde-le pour toi… et meurs avec ce symbole sacré sur ta pauvre petite personne !

Le sourire du forban devint cruel. Posément, il leva une sinlé.

— Aux Épreuves de la gloire, tu m'as fait disqualifier. Ici, aujourd'hui, il n'y a plus de règles. Je suis Nirvô de Niruxed, et cette fois, Miyalrel, *je me bats pour te tuer !*

Sur ces paroles rageuses, le sinléya frappa, tel un forcené.

Miya recula d'un pas. Du coin de l'œil, il vit Siyanlis, appuyée à un mur, couverte de sueur. Elle l'observait de ses grands yeux bleus, effrayée et anxieuse.

Non, songea désespérément le jeune garçon. « Je ne peux pas me faire tuer devant elle ! »

Mais Nirvô de Niruxed n'était pas un adversaire à prendre à la légère. C'était un homme de nature fourbe et traîtresse, ce qu'il avait démontré aux Épreuves de la gloire, en tentant une manœuvre illégale et perfide dans la demi-finale qui l'avait opposé à Miya. Sa tactique déloyale aurait pu avoir des conséquences mortelles pour le jeune garçon, si son talent inouï ne lui avait pas permis d'esquiver la sinlé de son ennemi.

Aujourd'hui, comme Nirvô l'avait si bien dit, les règles ne s'appliquaient plus. Le félon était donc libre d'enchaîner tous les coups déshonorants qu'il connaissait.

Il frappa à gauche, à droite, de haut en bas, de bas en haut. Miya bloquait chacun de ses assauts, mais perdait constamment du terrain. Les flammes dans son dos étaient maintenant si proches qu'elles lui faisaient mal. S'il reculait davantage, il serait condamné.

— *Miya!* hurla Siyanlis.

Le garçon ne savait plus quoi faire. Il avait subi trop de blessures pour se battre avec tous ses moyens. Par ailleurs, l'épuisement le gagnait rapidement. Il avait surmonté trop d'épreuves en une seule journée. Son corps ne pouvait plus supporter le rythme endiablé que les combats à répétition lui imposaient.

Il n'avait que quatre possessions. Une sinlé aux lames de cristal bleu. La pierre de vie d'une petite fille. Un anneau d'or gravé de runes. Et une kyansé à sa ceinture.

Miya n'avait plus le choix. Il allait devoir jouer son atout.

Le plus vite possible, sans laisser prévoir son geste, il tendit la main vers la kyansé. Au moment où il tentait de lever la tige redoutable, Nirvô esquissa un terrible sourire.

Sa sinlé traça une courbe sinusoïdale et entailla d'abord l'épaule gauche de Miyalrel, puis son avant-bras droit. Dans un cri de douleur, le garçon lâcha la kyansé. Une grimace de souffrance déforma son visage. Les blessures saignaient abondamment.

Son ennemi redressa sa sinlé et éclata de rire.

— *Ha, ha, ha !* Moins fier, le petit sinléya ?

Alors, le forban remarqua un certain détail pour la première fois.

— Qu'avons-nous là ? *Ha, ha, ha, ha, ha !* Tu portes l'uniforme d'un *chevalier de l'Empire ?* Sur quel cadavre as-tu pris ces fringues, petit crétin ? Ou veux-tu me faire croire qu'ils admettent maintenant des morveux dans les rangs prestigieux des chevaliers ?

Il n'est guère recommandé de se moquer d'un adversaire en plein combat. Surtout, s'il faut pour cela arrêter de se battre et se mettre à baratiner.

Miya n'avait jamais eu l'intention d'attendre que Nirvô finisse son discours pour plonger de nouveau dans la fureur mortelle de l'affrontement.

Lorsque le scélérat vit la sinlé de cristal bleu siffler vers lui, il eut tout juste le temps de lever la sienne pour parer le coup. Une lame glissa sur l'autre. Une traînée d'étincelles jaillit dans l'air rougeoyant du temple des Ancêtres. Nirvô ne put maintenir son arme en position. Celle de Miya lui raya l'abdomen. Un tracé écarlate se dessina sur ses vêtements, et il poussa un cri de rage.

Soudain, son compagnon, le deuxième homme auquel plus personne ne portait attention, saisit son épaule et le tira vers l'arrière.

— Ce n'est plus le moment de jouer! Tue cet enfant et amène-toi! Je ne sais pas si ta cervelle de détraqué s'en rend compte, mais tout le Temple brûle!

Le deuxième homme fourra la tige métallique d'une kyansé dans la main de Nirvô et recula lentement. Pendant ce temps, Siya se traîna péniblement vers son ami, s'éloignant des deux misérables en fixant sur eux un regard apeuré.

Miya comprit rapidement, et sa voix devint infiniment froide.

— Nirvô... C'est toi qui as frappé Siya?

Le forban le regarda avec rage et mépris.

— Et alors? Tu crois que je me soucie d'une petite fille? Je vais te tuer,

Miyalrel! Et puisque tu tiens tellement à cette petite xarlep, je vais la tuer aussi!

Nirvô pointa sa kyansé sur Siyanlis. Les deux cristaux au bout de la tige brillèrent. Une lumière intense en jaillit.

— Nirvô!

Impitoyablement, le rayon destructeur frappa la petite fille en plein sur sa xishâzen nâ, dans le creux de la gorge. Aussitôt, une réaction violente se produisit.

Un véritable torrent de puissance brute surgit de la pierre de vie de Siyanlis. La fillette hurla de douleur, enveloppée de flammes cruelles, avant de se volatiliser dans une énorme sphère brûlante de lumière bleue. Des fourches de foudre griffèrent les murs et le plancher, traçant un réseau de marques noires dans la pierre et faisant physiquement reculer les flammes véritables qui consumaient le Temple.

Le choc figea Miya sur place. Deux larmes parallèles coulèrent sur ses joues.

— Non… Non… Siya… *Siya*…

— Ton tour, M…

— *Siiyyyaaaa !*

Le cri vint avec une force déchirante. Les larmes laissèrent de longues traînées dans la suie qui recouvrait le visage du jeune garçon. Nirvô sembla soudain frappé d'incrédulité, mais Miya n'y portait plus attention. Perdant brusquement toute raison, il fit siffler sa sinlé, tel un sabre, la main serrée sur l'extrémité de l'une des lames.

Le tranchant de cristal bleu brilla sauvagement. Une lumière incroyable, issue de nulle part, se refléta en cascade sur les murs. Les yeux fourbes de Nirvô s'agrandirent de terreur. La lame de la sinlé laissa un sillon étincelant dans l'atmosphère, avant de sectionner nettement la kyansé du félon — en même temps que deux de ses doigts.

Le prétendu héros de Niruxed hurla de souffrance, le visage crispé par la rage et la douleur. En même temps, un ouragan de lumière bleue dansait furieusement autour de la sinlé du jeune garçon, comme si cette lumière était issue droit du fond de son âme.

Possédé par une incontrôlable soif de tuer, Nirvô hurla, tel un animal.

— *Miyalreeeel !*

Mais dès que son regard se posa sur l'enfant, il vit quelque chose qui le figea sur place. Pendant un moment, le tueur sembla littéralement pétrifié.

Quant à Miya...

Siyu...

Ils avaient tué Siya !

Hurlant de détresse, l'adolescent se lança à corps perdu dans un combat furieux, prêt à massacrer les deux misérables. L'énergie qui emplissait sa sinlé ne cessait de croître. À ce moment, comme s'il avait compris la situation, le compagnon de Nirvô fit un geste.

Un ange passa.

Et dans le Temple enflammé... Miya fut seul.

Désemparé, il fit quelques pas de l'avant. Où étaient-ils partis ?...

Il s'effondra. Au fond, cela n'avait plus d'importance. Plus d'importance

du tout. Même les flammes qui menaçaient de le brûler vif ne le préoccu-
paient plus.

Siyanlis était morte. Sa petite sœur
avait été tuée sous ses yeux.

Adossé à un mur, il se laissa choir
en position assise. Les sanglots montaient en même temps que les larmes.

— Siya… Siya…

Il ne restait plus d'énergie bleue dans
le corridor.

Il ne restait qu'un jeune garçon en
proie à un désespoir incommensurable.

Chapitre 11

Les flammes du temple des Ancêtres avaient été éteintes. Les prêtres survivants avaient été secourus. Les envahisseurs avaient quitté Nieslev, sans que personne ne constate immédiatement leur disparition. Le danger était passé.

L'armée mercenaire s'était éclipsée de la même manière qu'elle était apparue. Comme par magie.

Miya était adossé à une façade noircie, à l'extérieur du Temple. Il était replié sur lui-même, les yeux pleins de larmes. Il ne songeait qu'à sa petite sœur. Pourquoi était-elle morte ? Il lui restait si peu de temps à vivre ! Pourquoi avait-il fallu que sa courte vie soit écourtée encore plus, et d'une façon aussi horrible ?

Il la revoyait encore, avançant péniblement vers lui, son meilleur ami. Heureuse de le revoir, malgré ses propres blessures, sa terreur, et sa faiblesse toujours croissante.

Les larmes aux yeux, Miya serra les poings et les dents.

— Nirvô... Tu vas payer... Tu vas payer...

À travers la place, Qinlleh avança lentement vers lui.

— Je suis désolé, Miya. Je suis vraiment navré. Mais tu ne peux pas te laisser abattre de cette façon. Tu dois t'en relever. Siya était ta meilleure amie, mais elle était déjà à l'article de la mort. Même si elle avait survécu à cette attaque, elle ne serait pas restée longtemps auprès de nous.

Des sanglots prenaient Miya à la gorge.

— Je voulais la revoir... Même pour une seule journée... Je voulais la serrer dans mes bras... Je voulais être là quand elle partirait pour Inyëlh... Et maintenant!...

Qinlleh baissa doucement la tête.

— Nirvô de Niruxed... Lui et ses maîtres sont partis avec quatre Reliques. C'est uniquement pour cela qu'ils ont tué tous ces gens. Seulement, pour quatre Reliques.

Le jeune chevalier tremblait de colère et de chagrin.

— Ils ne méritent pas de vivre ! Il faut tuer tous ces maudits ! Pour venger tous ceux qui sont morts à Nieslev !

C'est alors que Qinlleh comprit quelles étaient les véritables intentions de son jeune protégé. Une expression de tristesse plissa les rides de son visage.

— Tu vas les pourchasser, n'est-ce pas ? Pour venger ta petite sœur ? Miya, il ne faut pas. Tu vas mourir, toi aussi.

— Ils ne peuvent tout de même pas s'en tirer !...

Le vieux sage secoua tristement la tête. Il avait déjà compris.

— Je ne pourrai pas t'en empêcher, n'est-ce pas ? Et je ne peux pas officiellement donner des ordres à un chevalier de l'Empire. Tu es un enfant à part, Miya. Tu l'as toujours été. Mais si tu pars venger Siya... alors, je t'en prie, si l'occasion se présente, récupère aussi nos Reliques disparues. Et quoi que tu fasses, *promets-moi* de revenir vivant.

Miya aurait aimé sourire un peu, même si le chagrin l'accablait. Qinlleh avait toujours voulu le protéger. Mais connaissait-il vraiment Miyalrel?

Oui, un enfant de la «race impossible». Un Xinjis Râ, avec une belle xishâzen nâ dans la gorge. Un enfant aux cheveux de couleurs étonnantes et curieusement attrayantes.

Mais savait-il ce qui s'était passé dans le Temple?

Savait-il d'où venait cette lumière infinie, cette énergie bleue d'une puissance féroce et dévorante qui semblait vouloir tout consumer?...

Chapitre 12

Ils étaient plusieurs dans le vieux bâtiment adjacent au temple des Ancêtres. C'était le seul endroit, dans les parages immédiats, qui n'avait pas brûlé. Le Temple, lui-même, n'était pratiquement plus que le squelette noirci d'un bâtiment. Seules les Reliques avaient été préservées de l'incendie, en raison de leur importance capitale pour les fidèles et les érudits des ères passées.

La prêtresse Inylia gisait sur un lit de fortune, sérieusement blessée dans l'attaque qui avait consumé Nieslev. Sa vie n'était pas en danger, mais elle aurait besoin de quelques jours pour se remettre de ses blessures. Près d'elle gisaient deux autres prêtres du temple des Ancêtres. Dans la ville, on secourait les blessés en s'efforçant d'éteindre les brasiers. Des hôpitaux provisoires se multipliaient aux quatre coins de Nieslev.

Au milieu de la pièce, le grand prêtre Qinlleh se tenait debout, couvert de pansements. Sur un banc de pierre, le petit Miyalrel restait assis, accablé de tristesse.

Il avait raconté en détail les événements qui étaient survenus depuis qu'il était sorti du temple du Monument, mais il était clair que tous ces aléas n'avaient plus d'importance pour lui. La mort de Siya l'avait gravement blessé. Or cette blessure-là n'allait pas guérir aussi vite que les plaies et les brûlures que Miya avait amassées au cours de la journée.

De son côté, Qinlleh avait énoncé le verdict final. Quatre Reliques disparues.

Inylia était restée longtemps silencieuse. Ses plaies physiques n'étaient rien. Comme Miya, elle souffrait bien plus de la mort de la petite Siyanlis. Sans même compter tous les autres innocents qui étaient morts à Nieslev. Sans même considérer les Reliques sacrées qui avaient été dérobées par Nirvô et ses alliés cruels.

Finalement, elle se résigna à poser la question la plus importante.

— Qinlleh... Les Reliques... Lesquelles ont disparu ?

Le grand prêtre hocha sagement la tête. Leur devoir était de protéger le temple des Ancêtres et ses trésors religieux. Pour le moment, tout le reste devait passer au second plan.

— Tout d'abord, l'épée sainte du prêtre Ten. Je crois que c'est la plus importante, en raison du pouvoir inouï qu'elle renferme. C'est une arme ancienne qui tire sa force d'une énergie absolument inconnue. Quiconque la manierait au combat couperait à travers ses adversaires comme à travers des brins d'herbe.

Inylia eut un sourire sardonique.

— Je sais, Qinlleh. Je connais les Reliques autant que toi. Tu oublies que nous avons mené toutes les recherches sur la puissance de l'épée de Ten.

Le doyen eut un sourire embarrassé.

— Miyalrel l'ignore, lui, expliqua-t-il timidement.

Inylia n'était pas dupe — cela se voyait au fin sourire qui se dessinait sur ses lèvres —, mais elle laissa Qinlleh poursuivre.

— Ils ont aussi dérobé la pierre d'Inyëlh, que les Ancêtres utilisaient pour connaître la beauté de la sphère de paradis et pour communiquer avec ses âmes sereines.

— C'est encore pour Miya, l'explication ?

— Bien sûr.

Le grand prêtre n'était pas dupe non plus. Ces deux-là avaient une drôle de façon de se taquiner. Ils en avaient d'ailleurs besoin pour surmonter la tragédie.

— La troisième Relique volée est l'urne des cendres de Nanliya, l'enfant martyre de la Paix aux anges. La quatrième est le septième évangile du peuple ancestral.

Inylia ferma tristement les yeux. La colère parut dans sa voix.

— Les cendres d'une petite fille ? Pourquoi s'abaisser à ce niveau ? Seulement pour nous faire du mal ? Qu'espèrent-ils faire avec l'urne funéraire d'une enfant ? Et les autres

Reliques ! Ce ne sont que des vols gratuits, exception faite de l'épée de Ten.

Qinlleh parla avec conviction.

Ils doivent avoir un but en tête. C'est la seule explication sensée. Ces Reliques ont une importance pour ces gens. Je dois y croire, sinon ils auront simplement massacré les habitants de Nieslev pour le plaisir. Et si c'est vrai, si des hommes peuvent vraiment tomber si bas, alors, je maudis la nature humaine aux enfers de Qentawah.

C'est à ce moment-là que Miyalrel, jusqu'alors silencieux, prit doucement la parole.

— Ils ne voulaient pas *les* Reliques. Ils voulaient *une* Relique.

Qinlleh et Inylia se retournèrent avec surprise.

— Lorsque j'ai fait face à Nirvô, il m'a redonné la cinquième Relique, le carreau d'arbalète. Il m'a dit de mourir avec lui, mais, au fond, il s'en contrefichait.

Miya leva doucement la tête. Il avait séché ses larmes.

— Et puis, songez-y. Il ne restait que Qinlleh et une poignée de prêtres à moitié morts dans la salle des Reliques. Il en restait quatre sur l'autel. S'ils avaient voulu s'en emparer, ils auraient pu le faire facilement. S'ils ne l'ont pas fait, je ne vois qu'une explication.

— Ils possédaient déjà la Relique qu'ils voulaient, dit Inylia.

— L'épée du prêtre Ten, conclut Qinlleh. La seule qui possède un pouvoir indiscutable. Les autres ne sont que des symboles, des icônes. La pierre d'Inyëlh est le lien mythologique entre nos vies et la sphère de paradis, mais il s'agit de religion, non de réalité. Les cendres de Nanliya nous rappellent le courage légendaire de cette enfant, mais elles ne peuvent avoir aucune utilité concrète. Et le septième évangile est un livre sacré, écrit dans la plus ancienne des langues. Seul un érudit du savoir ancestral pourrait le lire.

Miyalrel restait silencieux. Il songeait aux paroles de Qinlleh, mais ne partageait pas ses convictions. L'épée de Ten était certes puissante. Mais la pierre d'Inyëlh renfermait peut-être un secret véritable. Le septième évangile pouvait dissimuler des connaissances ou des révélations importantes, fussent-elles de nature religieuse ou scientifique. Et les cendres de Nanliya, à défaut de tout, pouvaient toujours servir de symbole de ralliement pour quelque cause inconnue.

Chacune des Reliques avait une utilité possible. Alors, laquelle Nirvô et ses maîtres avaient-ils *vraiment* voulu dérober ?

Et pourquoi avaient-ils cru bon de saccager Nieslev, comme si le meurtre, plus que les Reliques elles-mêmes, avait été leur but véritable ?

Nieslev brûlait, telle une torche, emplissant le ciel de fumée noire. Les survivants mettraient des jours à éteindre tous ces feux, des mois à reconstruire leur ville. Debout sur sa colline, le maître de l'armée sauvage riait encore.

Il était fier de cette victoire écrasante. Elle laissait présager des triomphes encore plus spectaculaires. Il entrevoyait déjà le jour où son règne serait suprême.

— Ugyùs! énonça-t-il sèchement.

Instantanément, le dénommé Ugyùs fut là.

— Avez-vous rapporté *ce qu'il nous fallait* ? demanda le maître.

Un sourire calme plissa les lèvres d'Ugyùs. Si Miyalrel avait été là, il aurait immédiatement reconnu le personnage. Il était aux côtés de Nirvô, dans le temple des Ancêtres envahi par les flammes. C'était grâce à lui que Nirvô avait disparu, comme par sorcellerie.

— Tout s'est déroulé à la perfection. Nous pouvons passer à la prochaine étape.

— Très bien, susurra le maître froid.

Ses yeux n'étaient pas humains. Ils étaient entièrement jaunes, dépourvus d'iris et de pupilles. Son visage était blême et maigre, comme celui d'un cadavre.

Yoolvh était un être d'une cruauté sans limites.

Et pour assouvir cette cruauté, il tuerait encore, et encore, *et encore*...

DEUXIÈME PARTIE

Le vent du souvenir

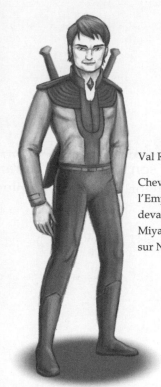

Val Rinyadel

Chevalier distingué de l'Empire de Ziellnis, il devait décerner son titre à Miyalrel lorsque l'attaque sur Nieslev est survenue.

Chapitre 13

Allongé sur sa couche improvisée, Miyalrel était tourmenté par toutes sortes d'émotions. La colère, le découragement, la peur, le chagrin — et un brûlant désir de vengeance qui lui serrait férocement le cœur. Il était couvert de pansements, mais ses blessures physiques, qui auraient dû le tourmenter, n'arrivaient pas à égaler la douleur qu'il ressentait dans son âme. Miya aurait aimé, en ce moment, souffrir bien plus de ses plaies. De cette façon, sans doute, aurait-il pu mettre de côté cette autre souffrance, bien plus profonde, qui menaçait de l'entraîner dans les abysses du désespoir.

Il ne reverrait jamais Siyanlis.

Dès que cette pensée lui traversa l'esprit, le jeune garçon se mordit la lèvre inférieure. Une larme avait spontanément coulé sur chacune de ses joues. À présent, dans sa gorge, un nœud de douleur se resserrait impitoyablement, rendant sa respiration difficile.

Ça suffit ! cria Miya en pensée. *Arrête de pleurer !*

D'un élan, il se redressa en position assise. Il devait cesser ce comportement digne d'un enfant. Il était un chevalier de l'empire de Ziellnis, par la sainte Inyëlh, il devait...

Un sanglot déchira sa gorge. Honteusement, Miya enfouit son visage dans ses mains, dissimulant les larmes qui mouillaient maintenant tout son visage.

À ce moment, une main se posa tranquillement sur son épaule.

— Il n'y a pas de honte à pleurer, Miya.

Le garçon tressaillit. La voix était celle d'Inylia, prêtresse du temple des Ancêtres, et — en quelque sorte — mère adoptive de Siyanlis.

Le jeune chevalier leva la tête. Inylia, avait-elle lu dans ses pensées ? La jeune femme eut un léger sourire en voyant son expression.

— Non, je ne lis pas dans tes pensées, dit-elle ironiquement. Mais je te connais bien, Miya, et je devine sans peine ce que tu ressens. Il était déjà difficile de savoir que Siya ne resterait plus longtemps parmi nous. Apprendre qu'elle est morte d'une manière aussi cruelle...

Inylia baissa la tête.

— Crois-moi, il n'y a pas de honte à pleurer.

Miya et Inylia demeurèrent silencieux; la jeune prêtresse et le petit chevalier unis dans un long moment de tristesse. Siyanlis avait compté pour eux.

Dans ses derniers instants, Siyanlis avait peut-être compté *sur* eux.

Et maintenant...

Miya n'en pouvait plus de se morfondre ainsi. La douleur empirait dans le silence. Il devait faire quelque chose, ne serait-ce que pour occuper son esprit.

Le jeune garçon se mit debout. Une grimace plissa le coin de ses lèvres. Même si des baumes avaient été appliqués sur ses blessures, celles-ci le faisaient encore souffrir.

— Je... Je vais dehors, dit-il.

— Tu devrais rester au lit, dit Inylia. Tu es mal en point, tu dois te reposer.

L'adolescent secoua doucement la tête.

— Je… Je ne peux pas.

Inylia ne protesta pas davantage. Elle devait comprendre, une fois de plus, ce que ressentait Miya. Ses propres blessures étaient plus graves que celles du jeune chevalier, ce qui l'empêchait effectivement d'aller se promener, mais elle aurait bien aimé sortir de cet hôpital de fortune, elle aussi. Les gémissements et les plaintes des blessés sapaient son moral.

— C'est bon, dit-elle. Je ne dirai rien à Qinlleh.

Miya eut un faible sourire, un vague sentiment de reconnaissance. De toute façon, le grand prêtre Qinlleh apprendrait bien assez vite que Miya n'était pas resté au lit. Il se chargeait en ce moment même des opérations de secours, ce qui l'amenait à entrer et sortir de cet hôpital improvisé toutes les cinq minutes.

Réprimant la douleur de ses blessures — curieusement, celle au flanc, la première authentique blessure de guerre qu'il avait subie, lui faisait le plus mal —, Miya se dirigea vers la porte. En fait, il ne s'agissait pas d'une porte proprement dite, mais d'un vulgaire rideau de chambre, installé à la hâte au-dessus d'un chambranle à moitié cassé qui avait perdu son battant, la veille.

La guerre de Nieslev, qui n'avait duré que trois heures, datait déjà d'une journée entière. Dans le ciel, les soleils jumeaux brillaient gaiement, sans se soucier du désastre que les hommes essayaient encore d'évaluer et d'assimiler.

La ville entière avait été ravagée, soit par les flammes, soit par l'armée ennemie.

En sortant du bâtiment, Miyalrel aperçut le fier temple des Ancêtres de Nieslev, qui se dressait en face de lui. Il n'en restait qu'une charpente calcinée, des murs noircis et des madriers brûlés. Telle était l'œuvre des êtres maudits qui avaient détruit et massacré sans discernement.

C'était là que Siyanlis était morte.

Miya détourna le regard. Il ne devait pas pleurer de nouveau. Peut-être, selon Inylia, n'y avait-il aucune honte à épancher sa peine, mais le jeune garçon ne voulait pas que la population de Nieslev voie un chevalier de l'Empire en larmes.

Il faillit en rire. Ses habits de cérémonie, si beaux et empreints de prestige la veille, n'étaient plus que des loques sales qu'il portait pour éviter de se promener tout nu. Personne n'aurait réellement reconnu en lui un chevalier de l'Empire.

Bien entendu, ses cheveux bicolores, vraisemblablement uniques dans tous les Cent Royaumes, pouvaient toujours l'identifier. Miya s'était forgé une belle petite réputation, depuis qu'il avait remporté les palmes du combat à la sinlé aux Épreuves de la gloire d'Inexell. Il avait aussi la menue distinction d'être devenu, à treize ans, le plus jeune chevalier de l'histoire des Cent Royaumes. Et ses exploits de la veille n'étaient pas passés inaperçus non plus.

— Miyalrel! s'exclama une voix forte.

Le garçon se retourna. L'homme qui venait vers lui, arborant une expression étonnée au visage, était facilement identifiable. Son nom était Val Rinyadel. C'était un Xinjis Râ, et il portait l'uniforme d'un chevalier de 6e rang, décoré de trois étoiles d'argent. Lors de la cérémonie de la veille, il aurait dû décerner aux nouvelles recrues leur première étoile de bronze, preuve de leur admission dans les rangs de l'Ordre. Les événements, cependant, ne lui avaient pas permis d'entrer en scène.

Manifestement, ce guerrier expérimenté avait survécu aux combats. On ne pouvait s'attendre à rien de moins de la part de Rinyadel, maître de la technique des deux sabres et héros du royaume de Tenshâ. Or ce même Rinyadel apprenait maintenant que le petit Miyalrel, chevalier d'honneur de la 235e Cérémonie, avait lui aussi échappé à la mort.

— C'est donc vrai! dit-il en arrivant à la hauteur de Miya.

— Qu'est-ce qui est vrai ?

— Toi, dit Rinyadel. Ton talent. J'avais entendu dire que tu étais un vrai petit prodige avec une sinlé entre les mains. Personnellement, j'avais des doutes concernant ce titre de chevalier d'honneur — mais, si tu as vraiment accompli ce que l'on dit…

Miya leva une main pour interrompre le flot de paroles.

— Attendez… Que dit-on au juste ?

— Que c'est *toi*, Miyalrel, qui as fait cesser cet assaut sur Nieslev.

Le garçon tressaillit.

— P… pardon ?

— Il paraît qu'un chevalier a personnellement affronté le général de l'armée ennemie et l'a vaincu, pour mettre un terme à l'attaque. On dit que c'est *toi*…

— A… Attendez un peu… Nirvô n'est pas un général, ce n'est qu'une brute qui sait manier une sinlé… Je n'ai pas…

Les protestations de Miyalrel moururent sur ses lèvres. Il venait de comprendre que d'une certaine façon,

Val Rinyadel avait raison. Lui, Miya, avait bel et bien affronté Nirvô de Niruxed et son compagnon inconnu dans le temple des Ancêtres en flammes. Dans l'ardeur du moment, il n'avait jamais songé à vaincre le « général » de l'armée ennemie pour la mettre en déroute, mais finalement, c'était précisément ce qu'il avait accompli. Il n'avait jamais vu les choses sous cet angle, mais peut-être était-il vrai qu'il avait fait cesser l'assaut sanguinaire des mercenaires.

À lui seul.

— Non, attendez... Je n'étais pas seul, tout le monde s'est battu... Je...

— Miya, ta modestie est à ton honneur, mais tu dois comprendre que tes actions font de toi un véritable héros. Combien de vies as-tu sauvées ? Peux-tu seulement l'imaginer ?

Le garçon se mordit la lèvre et baissa la tête.

— Je... Je n'ai pas sauvé celle qui comptait.

— Tu as... perdu quelqu'un ?

— Ma petite sœur.

Les yeux de Rinyadel exprimèrent la pitié.

— Tu m'en vois sincèrement désolé. Je ne savais pas. Mais — attends — je croyais que tu étais enfant unique ? Avec des cheveux comme ça…

Cette fois, Miya eut un franc sourire. Il ne pouvait s'en empêcher.

— Siya n'était pas vraiment ma *sœur*. Je l'appelais comme ça, c'est tout. Il n'y a qu'un petit Xinjis Râ comme moi.

— Tu ne crois pas si bien dire. Sais-tu que j'ai reçu ma cinquième étoile à 40 ans ?

Miya mit quelques secondes à comprendre ce que Rinyadel voulait dire. À cela non plus, il n'avait pas songé.

Il y avait neuf rangs dans les chevaliers de l'Empire. Ils étaient représentés, d'abord, par une à trois étoiles de bronze ; ensuite, par une à trois étoiles d'argent ; et enfin, par une à trois étoiles d'or. Ce neuvième rang, avec trois étoiles d'or, n'était occupé que par un homme à la fois, dit le chevalier impérial, chef de l'Ordre et confident de l'Empereur. Tous les chevaliers recevaient leur première étoile de bronze lors de leur promotion initiale, et leur deuxième étoile, après leur premier combat. Ensuite, le mérite individuel déterminait la progression dans la hiérarchie. Un chevalier d'honneur, toutefois, commençait par une étoile d'argent. Et puisque Miya avait livré, avec honneur et courage, son premier combat réel, émergeant même en héros du désastre, sa deuxième étoile d'argent lui serait certainement attribuée.

Il accéderait au 5e rang, juste en dessous de Rinyadel, lui-même.

À treize ans.

Le garçon ne put s'empêcher de rougir.

— Je ne le fais pas exprès, vous savez.

Rinyadel rit bruyamment.

— Oh, loin de moi l'idée d'être jaloux, petit Miya. Tu es encore sous mes ordres, et je compte bien obtenir mon étoile d'or dans un proche avenir. Mais toi, un jour, tu seras chevalier impérial, ou je ne m'appelle pas Rinyadel.

Le chevalier fouilla brièvement dans ses poches afin d'en retirer une étoile argentée.

— Voilà celle que je devais te remettre, hier. Désolé, je n'en ai pas une deuxième. Qu'Inyëlh renie mon âme, si j'ai pu prévoir un coup de cochon pareil. C'est une catastrophe : 200 morts, déjà 11 chevaliers et 30 soldats sous les draps blancs.

Rinyadel secoua la tête.

— Je remercie Inyëlh d'avoir épargné ta vie, Val Miyalrel.

— Oh, s'il vous plaît, pas de titre de valeur — je n'ai pas encore mérité…

— Oh… que si ! Tu as été plus brave que moi, hier. Dès que la cérémonie reprendra, tu auras ta deuxième étoile. Je m'assurerai de te l'épingler moi-même.

Voyant que Miya rougissait de nouveau, le chevalier lui donna une tape paternelle dans le dos — et grimaça, en voyant l'expression qui avait envahi le visage du garçon.

— Oh, désolé !… Je n'avais pas vu ton pansement !

Miya chassa la larme que la douleur soudaine avait fait naître sur sa paupière.

— Ça va, je survivrai... Mais, s'il vous plaît, ne tapez plus !

Chapitre 14

À la suite de sa rencontre avec le chevalier Val Rinyadel, Miya poursuivit son errance dans les rues de la ville dévastée. Le poids des paroles de Rinyadel avait alourdi son cœur. Deux cents morts. Onze chevaliers tombés au combat. Et sans doute, les chiffres n'étaient-ils pas définitifs. D'autres cadavres seraient probablement trouvés. De nombreux blessés allaient vraisemblablement mourir. Les onguents et les élixirs de guérison étaient déjà épuisés à Nieslev.

Miya, lui-même, avait eu droit à un traitement de faveur au Temple ; de cela, il en était conscient, et cela troublait sa bonne conscience.

Dans la ville, de nombreuses boutiques et résidences avaient été converties en infirmeries d'urgence. Les gens s'affairaient à y rassembler les blessés que l'on découvrait encore dans les quartiers ruinés et incendiés de Nieslev. Des colonnes de fumée montaient dans le ciel, preuves que tous les brasiers n'avaient pas encore été éteints.

Miya aurait aimé participer aux premiers secours, mais il se sentait tragiquement impuissant. Il ne savait pas guérir ; d'ailleurs, en toute franchise, il avait besoin de soins lui-même.

Il avait subi, en tout, six blessures de guerre dignes de ce nom. Aucune ne l'avait estropié ; il disposait encore de ses quatre membres et de tous ses organes vitaux. Toutefois, il devait craindre l'infection, qui pouvait se révéler pire que les plaies elles-mêmes. Peut-être ferait-il mieux, tout compte fait, de retourner s'allonger dans son lit, au lieu d'errer ainsi dans les rues sales, sous un ciel lourd de cendres.

Alors qu'il rebroussait chemin à contrecœur, il aperçut, allongé sur une couchette à ciel ouvert, un homme en uniforme bleu dont il reconnut les traits.

— Mais… C'est… !

Miya s'approcha à grands pas. Il ne s'était pas trompé.

— Caporal Relow !

Le soldat blessé ouvrit les yeux et tourna difficilement la tête. Il paraissait sérieusement mal en point, mais lorsqu'il vit Miyalrel, ses yeux s'ouvrirent grand et un sourire éclaira son visage.

— Tu… Tu as survécu !

— Vous aussi !

Has Relow voulut rire, mais il ne put que tousser douloureusement. Miya se promit de ne pas lui raconter une blague mortelle.

— Je croyais vraiment… que c'en était fait de moi. Mais la sainte Inyëlh… n'était pas prête à me recevoir.

— Inyëlh en a assez reçu. Je suis content qu'elle vous ait laissé ici-bas.

Un sourire amer plissa les lèvres du soldat.

— Moi aussi…

— Savez-vous ce qui est arrivé aux autres ? s'enquit Miya.

Le jeune chevalier craignait d'encaisser la vérité, mais il se devait d'apprendre ce qui était advenu des hommes et des femmes avec qui il avait combattu, même brièvement, au cours de la terrible guerre qui avait ravagé Nieslev.

Relow poussa un soupir triste. Il regrettait manifestement les mauvaises nouvelles qu'il allait devoir transmettre à Miya.

— Nia a survécu ; je l'ai vue tout à l'heure, dit-il, pour commencer.

— Et... les autres ?

— Rin est morte... Liyelves aussi... Dal manque encore à l'appel... J'aimerais te dire qu'il doit avoir survécu, mais je ne crois pas qu'il faille se faire des illusions...

Miya hocha tristement la tête. Si Dal Nixô était resté en vie, en tant que soldat de la garnison de Nieslev, il n'aurait pas été porté disparu. Il aurait trouvé le moyen de signaler sa présence et son identité. Bien sûr, il restait la possibilité qu'il soit grièvement blessé et incapable de communiquer ; il pouvait avoir été emmené à l'un des autres hôpitaux de fortune, ou même se trouver allongé au fond d'une ruelle sale, où personne ne l'avait encore secouru. Mais il avait vraisemblablement péri au combat. Le caporal Relow, lui-même, n'avait survécu qu'en vertu d'un miracle.

Quant à Miya…, sans doute, Inyëlh avait-elle veillé sur lui également.

Relow esquissa un sourire.

— Je n'en menais pas large avant de te voir, Miya… Savoir que tu as survécu me met du baume au cœur… Maintenant, je suis certain de me remettre sur pied !

— Pas avant un bon mois, dit sombrement Miyalrel.

Il n'avait pas entièrement tort, le petit sinléya. Has Relow était passé à un poil de la mort. Si ses blessures s'infectaient, il avait encore une chance non négligeable de trépasser. Par chance, il avait reçu, lui aussi, le traitement de faveur réservé aux héros qui avaient combattu pour sauver Nieslev. Soldats et chevaliers avaient été les premiers à bénéficier des ressources thérapeutiques des guérisseurs, avant que les onguents commencent à se faire rares.

— Vous allez vous en sortir, promit Miya.

— Oh, j'en ai bien l'intention. Je veux assister à la cérémonie, lorsqu'ils feront de toi un vrai petit chevalier.

Le garçon sourit.

— Ils pourraient vous placer sous mes ordres, vous savez.

Relow ricana.

— C'est ce qu'on verra.

Si la survie de Miyalrel avait rendu le moral à Relow, il était également vrai que la survie du caporal avait partiellement dissipé le chagrin accablant qui affligeait Miya. La guerre avait fait de nombreuses victimes, mais l'héroïsme des hommes de Nieslev avait finalement triomphé des monstres — et des forbans qui ne valaient guère mieux qu'eux.

L'adolescent prit congé de Has Relow, qui avait besoin de se reposer, et reprit le chemin du temple des Ancêtres, sachant que ses propres blessures devaient être soignées et qu'il ne pouvait pas se promener à loisir dans la ville. Toutefois, lorsqu'il arriva sur la place publique, devant le Temple — l'esplanade où il avait personnellement tué non moins de quatre ennemis la veille —, Miya assista à une scène inattendue.

Le chevalier Val Rinyadel avait rassemblé autour de lui une vingtaine d'autres chevaliers de l'Empire, parmi lesquels Miya reconnut nombre de recrues qui auraient dû, comme lui, être admises dans l'Ordre prestigieux, lors de la 235ᵉ Cérémonie. Les survivants étaient donc plus nombreux que les défunts ; cette révélation, elle aussi, eut l'effet de rehausser significativement le moral du petit Xinjis Râ.

Pressentant l'importance de la réunion improvisée, Miya se joignit au rang des chevaliers. Lorsqu'il fut reconnu, il y eut immédiatement une vague de murmures étonnés et admiratifs. Le jeune garçon ne put s'empêcher de rougir de nouveau. Jusqu'à quel point les rumeurs à son sujet avaient-elles fait du chemin ? Était-il déjà devenu la prochaine légende vivante de l'Empire ?

Deux chevaliers lui serrèrent la main. Trois autres exprimèrent leur admiration et leur fierté devant les exploits du jeune sinléya. Alors que Miya cherchait les mots adéquats pour répondre, Rinyadel prit la parole et coupa court aux échanges de politesses.

— Vous savez, tous, ce qui s'est passé hier. Il est inutile de revenir là-dessus. Vous avez tous combattu avec courage et dévouement, et méritez ainsi, pour la plupart, votre seconde étoile de bronze. Je ne suis malheureusement pas ici pour vous la décerner.

Le chevalier Rinyadel passa ses troupes en revue, puis expliqua le but du rassemblement.

— Ce matin, nous avons appris qu'un campement suspect s'était installé sur les berges de la rivière Tarxë, dans le 1er axe. Selon les fermiers qui nous ont rapporté ces faits, le camp mystérieux n'est pas assez vaste pour abriter l'armée ennemie qui nous a attaqués hier. Mais il pourrait s'agir d'un poste avancé, d'une base d'opérations, ou même d'une menace nouvelle. Notre devoir, en ce moment, est d'aider la population de Nieslev à surmonter la tragédie. Toute-

fois, nous ne pouvons ignorer les agis-
sements des ennemis responsables de
cette tuerie. Si ces monstres préparent
un nouvel assaut, nous devons être
avertis et préparés.

Un camp sur les rives de la Tarxë?
songea Miya. *Quel est ce délire? Pourquoi
apprend-on son existence aujourd'hui
seulement?*

Il n'était manifestement pas le seul à
se poser des questions. Des chuchote-
ments perplexes parcouraient l'assemblée des chevaliers. Rinyadel les fit taire
en reprenant la parole.

— Nous ne savons pas pourquoi ce
camp vient d'apparaître, ou pourquoi il
est demeuré invisible, s'il était là avant.
Cela fait partie des informations que
nous devons découvrir. J'ai réuni ici
tous les chevaliers encore valides.
Nous allons monter une expédition, et
enquêter du côté de ce camp mystérieux. Soyez avertis qu'un nouvel affrontement est tout à fait possible, si l'armée
ennemie s'en sert réellement comme
quartier général. Il est toutefois impératif que nous écrasions dans l'œuf toute

nouvelle agression visant Nieslev ou ses habitants.

Il y eut cette fois des murmures d'approbation. Même si noblesse et honneur étaient les valeurs fondamentales des chevaliers, nombreux étaient ceux qui rêvaient présentement de bonne vieille vengeance. Même Miya se surprit à espérer qu'il ferait partie de l'expédition.

Rinyadel se mit à réciter des noms. Les chevaliers ainsi désignés avançaient tous d'un pas unique, acceptant de ce fait la mission qui leur serait confiée.

Rinyadel nomma 15 hommes et femmes. Miya savait bien qu'il ne ferait pas partie du groupe ; il n'avait pas réellement été convoqué à ce rassemblement, et ne faisait pas partie des combattants encore « valides » requis par son supérieur. Il fut néanmoins déçu lorsque le dernier chevalier fut nommé et ne s'appela pas « Miyalrel ».

S'il remarqua quelque chose, Rinyadel ne dit rien pour réconforter le jeune garçon. Il n'avait pas à le faire. Il s'agissait d'une décision strictement militaire.

— Équipez-vous, ordonna-t-il. Nous partons dans une heure.

Hommes et femmes se dispersèrent. Aucun ne resta pour bavarder, même ceux qui n'avaient pas été choisis. Il était clair que chacun avait désormais une mission. Ceux qui ne participeraient pas à l'expédition avaient le devoir de prêter main-forte à la garnison de Nieslev et de se préparer, tant bien que mal, à une nouvelle agression ennemie. Ils devaient aussi soutenir les citadins dans leur combat contre les incendies restants, aider à secourir les blessés, et envisager la reconstruction de la ville ravagée.

Miya n'avait reçu aucun ordre particulier. Évidemment, il avait le devoir de soigner correctement ses blessures afin de ne pas dilapider les ressources limitées de la ville. Une fois remis sur pied, il participerait sans doute à la restauration de la cité éprouvée. Peut-être serait-il même appelé à partir en guerre, à la tête de sa propre troupe, en vertu de son rang et des responsabilités qui y étaient liées. Pour Miya, c'était une idée encore difficile à concevoir.

Depuis la mort de Siya, sa propre mort au combat ne l'effrayait plus. Au contraire, s'il tombait bravement au champ d'honneur, il reverrait assurément sa petite sœur dans la beauté éternelle d'Inyëlh — plus jamais, il n'aurait à craindre sa disparition.

Vu la douleur que Miya ressentait dans son âme, ce serait presque un soulagement.

Mais les forbans, les immondes scélérats, responsables de tant de morts, ils ne pouvaient pas, ne *devaient* pas, l'emporter en paradis.

Nirvô de Niruxed…

Lui, avant tous les autres, devait connaître le châtiment de ses crimes impardonnables.

Chapitre 15

Trois heures après le départ de Val Rinyadel, suivi de ses 15 chevaliers triés sur le volet, les sentinelles postées aux portes fracassées de la ville eurent la surprise de voir revenir Val Rinyadel, accompagné de ses 15 chevaliers.

Ce fut la surprise et la confusion.

Lorsque les rapports invraisemblables furent enfin décortiqués, on comprit que la petite troupe, après avoir marché pendant deux heures le long de la Tarxë, en direction du campement ennemi, s'était retrouvée au sommet de la colline Verte, la plus haute butte dominant Nieslev, dans le 6e axe. C'était invraisemblable, car les hommes persistaient à dire qu'ils avaient toujours suivi le cours de la Tarxë, que la rivière était perpétuellement restée sur leur gauche, et qu'ils n'avaient assurément pas vidé une bouteille de rhum avant de partir.

Ils avaient pourtant tourné en rond, de manière complètement inexplicable, et s'étaient tous retrouvés à leur point de départ.

Or le jour était trop avancé pour qu'ils tentent de reprendre l'expédition à zéro.

Miyalrel, qui était retourné au bâtiment secondaire jouxtant les ruines du temple des Ancêtres, eut vent de l'histoire incompréhensible lorsqu'un jeune prêtre, qui avait assisté à la confusion aux portes de la ville, vint raconter le tout à Qinlleh et Inylia. Alors que le doyen, le front plissé de rides soucieuses, s'interrogeait sur la nature d'une telle sorcellerie, Miya, allongé sur sa couche, prit inopinément la parole.

— Moi, je sais.

Le grand prêtre, qui croyait son jeune protégé endormi depuis qu'Inylia lui avait fait boire une infusion médicinale, se tourna vers le petit Xinjis Râ avec surprise.

— Tu sais ce qui est arrivé au chevalier Rinyadel ?

— J'ai ma petite idée.

— Parle, Miya… Le temps n'est pas aux cachotteries.

— Dans le Temple, lorsque j'ai combattu Nirvô, il y avait un autre homme avec lui. Quand il s'est aperçu que Nirvô allait perdre, il a fait quelque chose — je l'ai vu faire un geste — et *pouf*, il n'y avait plus personne. Ils ne se sont jamais enfuis. Ils ont disparu. Comme ça.

Miya claqua des doigts, pour accentuer l'effet.

— Et… Miya, tu crois que cet homme est responsable de…

— Je ne sais pas, mais c'est possible… Si ses pouvoirs sont considérables, c'est peut-être aussi grâce à lui que toute l'armée ennemie s'est approchée de Nieslev sans être vue.

Le grand prêtre échangea des regards avec les gens qui l'entouraient : un soldat de la garnison, un chevalier de 3e rang, et deux clercs du Temple.

— Faites circuler cette information, dit-il. Je ne sais pas si elle est pertinente, mais nous ne pouvons nous permettre de baigner dans l'ignorance. Si ce que dit Miya est vrai, nous avons un ennemi redoutable sur les bras. Voyez les sages. Tentez d'en apprendre davantage.

C'était probablement peine perdue ; Qinlleh, lui-même, était le sage le plus érudit de la ville, sinon du Royaume. Toutefois, il était concevable qu'un indice sur l'identité de l'ennemi surgisse d'une source imprévue. *Un homme qui pouvait faire disparaître une armée.* Si cela s'était vu avant, quelqu'un le saurait. Cela pourrait les aider à anticiper une future attaque.

Les compagnons de Qinlleh hochèrent la tête, conscients de l'importance potentielle de cette information, et partirent chacun de leur côté. Le doyen, lui-même, se tourna vers Miyalrel.

— Dors, Miya, reprocha-t-il gentiment.

— Je ne veux pas dormir. Et je ne veux pas rester à Nieslev.

Qinlleh marqua un temps d'arrêt. Puis, il soupira. C'était ce qu'il craignait. Miya n'avait pas changé d'avis depuis la veille.

La détermination et la volonté étaient des traits de caractère reconnus chez les Xinjis Râ. Ce n'était un secret pour personne. Et Miya avait son immense talent, pour lui. Mais s'il se mettait réellement en tête de traquer les meurtriers de Siyanlis... allait-il revenir en vie ?

— Tu vas vraiment partir, dit le grand prêtre.

Le garçon ne dit rien.

— Tu sais que, en tant que chevalier, tu as des responsabilités. Tu ne peux pas agir comme tu le souhaites.

Cette fois, Miya eut un sourire. Le caporal Relow lui avait involontairement donné la solution à ce problème. *Je veux assister à la cérémonie*, avait-il dit, *lorsqu'ils feront de toi un vrai petit chevalier*. Autrement dit, en toute légalité, Miyalrel n'était pas encore un chevalier de l'Empire. La cérémonie avait commencé ; il était entré dans la salle du Monument ; mais il n'avait jamais reçu son étoile, ni son titre, de la part de Val Rinyadel.

Bien entendu, il jouait sur les formalités. Un tribunal militaire ne l'entendrait probablement pas de cette oreille. Mais il importait peu à Miya d'être rétrogradé, voire radié de l'Ordre. Ce titre de chevalier, il l'avait reçu pour Siyanlis. Pour qu'elle soit fière de son meilleur ami. On aurait pu lui offrir trois étoiles d'or, qu'il n'en voudrait plus, désormais.

— Je ne serai un chevalier qu'à la fin de la cérémonie, dit narquoisement Miya.

Qinlleh avait dû le voir venir. Il avait déjà un fin sourire aux lèvres. Toutefois, ses yeux gris trahissaient l'inquiétude qui troublait son cœur.

À l'extérieur, les feux de Nieslev montaient encore à l'assaut du ciel. Combien d'âmes ces flammes emportaient-elles vers la sphère de paradis ? Lorsqu'il y songeait, Qinlleh comprenait sans peine la détermination farouche du petit chevalier. Mais il devait tenter, une dernière fois, de lui faire entendre la voix de la raison.

— Miya, tu risques d'être tué. Ce n'est pas un jeu.

— Qinlleh, regardez ce qui reste de Nieslev ! Les feux brûlent toujours, les gens sont morts par centaines ! Ceux qui ont fait cela ne méritent pas de vivre une journée de plus !

Le vieux prêtre hocha tristement la tête.

— Ce sont des bouchers sans âme, je l'admets. Ce massacre était une simple partie de plaisir. Tous ceux qu'ils ont tués, ils les ont tués pour s'amuser. Une armée de monstres sans humanité. Mais il y a quelqu'un d'autre quelque part à la tête de cette armée. Au-dessus de Nirvô complotent les véritables monstres, et quoi que tu fasses, Miya, tu dois me promettre de ne jamais te frotter à eux. Ils se débarrasseraient de toi sans pitié.

Le garçon protesta aussitôt, les lèvres tremblantes.

— Mais ce sont eux ! Ce sont eux qui ont tué Siya !

Le grand prêtre du temple des Ancêtres parla calmement.

— Miya, une seule personne a tué Siya. Celui à qui tu dois en vouloir, c'est Nirvô de Niruxed. C'est lui que tu dois poursuivre. C'est lui qui possède encore les Reliques, s'il ne les a pas remises à ses supérieurs. Tu es capable de vaincre Nirvô, Miya. Avec une sinlé, tu es le meilleur qui soit. Mais ceux qui sont au-dessus de lui… laisse-les tranquilles. Ils connaîtront la justice d'Inyëlh, à défaut de celle des hommes. Tu dois seulement revenir vivant.

Miya esquissa un sourire triste.

— Qinlleh, tu as toujours voulu prendre soin de moi. Je veux bien revenir vivant, tu sais. Je ne veux pas mourir pour rien. Mais que se passera-t-il si Nirvô a déjà remis les Reliques à ses maîtres ? Comment allons-nous les récupérer ?

— Je ne sais pas, avoua Qinlleh. Mais je refuse que ce soit au prix de ta vie. Assez d'enfants sont morts hier. De plus, Siya serait triste de te voir mourir.

Le garçon leva des yeux humides vers le ciel. Siya le voyait-elle, en ce moment ? Pouvait-elle veiller sur lui, de là-haut ? Ou la beauté infinie de la sphère de paradis était-elle la seule chose que la fillette était en mesure de percevoir ?

— Pourquoi es-tu partie, petite sœur?...

Qinlleh s'approcha tranquillement du jeune garçon. Il partageait ses sentiments, et Miya le savait, mais cela n'arrivait pas à le consoler. Rien n'y suffirait, jamais. Siya était si gentille, si douce et fragile..., et ce démon sans âme de Nirvô en avait profité pour la tuer.

Si un seul ennemi devait mourir de ses mains, ce serait lui. *Nirvô de Niruxed*.

— Je ne me laisserai pas tuer, promit Miya. Je vais rattraper ce bandit, lui arracher les Reliques, et lui faire regretter d'être né!

Le vieux clerc plissa les lèvres, amusé par la ténacité du jeune garçon. Même parmi les Xinjis Râ, il était rare de trouver un enfant pourvu d'une telle détermination. Mais Qinlleh connaissait aussi les faiblesses de son petit protégé. Il savait que Miya était beaucoup trop jeune pour une telle entreprise, et craignait que ses actions impulsives n'aient des conséquences funestes.

Il était trop tard, cependant, pour songer à le faire reculer.

Toujours avec le même sourire triste, le doyen hocha doucement la tête.

— Tu es déjà prêt à te lancer à l'aventure. Puisqu'il le faut, je vais mettre toutes les chances de ton côté, en commençant par un bon équipement. Tu le sais probablement ; un campement suspect a été aperçu sur les rives de la Tarxë. Plus loin, de l'autre côté de la rivière Nixim, d'autres rassemblements ont été détectés dans les collines. Nous croyons que nos ennemis se sont regroupés là, mais ils risquent de partir rapidement maintenant que Nieslev a été saccagée. Sinon, les armées impériales qui sont en route les écraseront.

— Les armées impériales sont en route ? répéta Miya avec étonnement.

Qinlleh acquiesca.

— Je ne suis pas censé ébruiter cette information, mais il paraît que Nieslev est la troisième ville des royaumes frontaliers à subir un tel saccage. Je n'avais pas entendu parler des deux autres avant aujourd'hui. C'est récent. C'est pourquoi je te supplie de ne pas affronter les hommes au-dessus de Nirvô. Ils seront traqués en temps et lieu, par des gens capables de les vaincre.

Miya hocha finalement la tête, se pliant aux conditions de Qinlleh. *Deux autres villes.* À quels monstres de Qentawah avaient-ils réellement affaire ?

— Nous nous reverrons dans quelques jours, dit-il bravement.

— C'est une promesse, Miya. En tant que chevalier… *futur*, assure-toi de la tenir.

Le garçon sourit. L'expression du grand prêtre s'adoucit.

— Tu sais que dans le 1er axe, tu traverseras les champs de la guerre des Ancêtres. Si tu penses très fort à Siyanlis, peut-être que le vent du Souvenir viendra-t-il soulager ta peine ?

Inylia était encore consignée au lit, se remettant lentement de ses blessures. Qinlleh était revenu la voir, après avoir équipé le petit Miyalrel convenablement.

Évidemment, ce fut la première question qu'elle posa.

— Où est Miya?

— Parti, répondit doucement le vieux clerc. Il veut venger Siyanlis et nous rapporter les Reliques volées.

La jeune prêtresse sursauta.

— Mais… tu l'as laissé partir? Il va se faire tuer! Qinlleh, tu aurais pu le retenir!

Le grand prêtre eut un petit rire ironique.

— Le retenir? Tu oublies; c'est le chevalier d'honneur de la 235e cérémonie du Monument de Nieslev. Si jeune soit-il, il mérite maintenant un grand respect, et son autorité est quasi incontestable.

Qinlleh sourit nostalgiquement.

— Notre petit Miya est devenu une légende en son temps.

— C'est quand même un enfant, protesta Inylia. Un enfant qui vient de vivre la pire journée de sa vie.

Que feras-tu si Nirvô le découpe en morceaux?

Pendant un instant, une lueur vague, dangereuse, passa dans les yeux du vieil homme.

— Alors, je tuerai ce Nirvô de mes propres mains.

Il ne souriait plus, le grand prêtre du temple des Ancêtres.

Chapitre 16

Une demi-heure était passée. Très peu de temps, en vérité, mais Miya avait l'impression d'avoir marché pendant deux jours. Il avait quitté Nieslev en silence, dans la lumière mourante d'un crépuscule triste, versant des larmes occasionnelles pour l'une ou l'autre victime innocente du carnage. Mais il songeait toujours à Siyanlis. Le visage mignon de la petite fille, encadré de ses folles rivières de cheveux bleus, ne quittait jamais ses pensées.

Seul dans un champ agricole en bordure de Nieslev, le garçon soliloquait à voix basse, sans que personne ne soit là pour l'entendre.

— Le vent du Souvenir...

Il en avait entendu parler, bien sûr. Tous les habitants de Nieslev savaient que la 8e guerre des Ancêtres avait été livrée dans les terres et les collines entourant la ville. Certains prétendaient que les âmes des guerriers morts, en voyant leur famille pleurer pour eux, avaient fait descendre un vent doux de la sphère de paradis, une brise tranquille et puissante qui sécha toutes les larmes et émerveilla tous ceux qui la ressentirent.

Selon les légendes qui survivaient dans le Royaume, ce vent merveilleux descendait toujours d'Inyëlh, pour soulager la peine de ceux qui avaient perdu un être cher.

— Je sais... N'importe quel vent séchera une larme, s'il souffle assez fort... Ce n'est qu'une légende... Mais si elle possède le moindre fond de vérité, Siya, j'ai vraiment besoin du vent de ton souvenir...

La brise fraîche ne souffla point.

Sans savoir pourquoi, Miya se sentit cruellement déçu.

Il dut faire un effort pour hausser les épaules, pour faire un autre pas. C'était un mythe. Le vent n'allait tout de même pas s'élever, seulement par la volonté d'une petite fille au paradis. Et même si la brise caressait ses joues humides, qu'est-ce que cela prouverait?

Il ventait tous les jours dans les collines autour de Nieslev.

À ce moment, Miya demeura interdit.

Pendant un instant… Là-bas, sur sa droite, *cette rafale de vent…*

Il secoua la tête avec force.

— Non. Je me fais des idées. Siya est morte. Je ne pourrai jamais la revoir. Je dois m'y faire. Je dois m'y faire…

Il tourna résolument la tête, chassant de la main les larmes qui avaient recommencé à couler sur ses joues. Il fallait qu'il se mette en route.

Miya connaissait bien les terres autour de Nieslev, et savait dans quelle direction se diriger. De toute façon, il aurait pu s'orienter les yeux fermés ; il suffisait qu'il suive la tumultueuse et bruyante rivière Tarxë, en aval. Il n'avait qu'à faire un dernier inventaire de ses moyens.

Qinlleh, en mère poule authentique, avait pensé à tout, sauf à l'aspect logistique des choses. Miya était un sinléya de génie et un chevalier héroïque, mais il était aussi un garçon de 13 ans, dont la corpulence et la force musculaire étaient celles d'un enfant de son âge. Et les lanières du havresac dont Qinlleh l'avait alourdi commençaient à entailler la chair de ses épaules.

Miya n'arriverait jamais à trimbaler tout cela jusqu'au camp ennemi. C'était déjà tout à fait clair. Par conséquent, il allait devoir distribuer le contenu du sac sur sa personne, et abandonner le surplus dans le champ de la 8e guerre des Ancêtres. Il pourrait le récupérer au retour, s'il voulait préserver l'amour-propre du grand prêtre.

Le garçon commença donc par vider le sac dans les herbes hautes.

Il y avait là de la nourriture en barres sèches, du type emporté par les soldats en mission ; une gourde pleine d'eau fraîche ; et un petit pot contenant un onguent verdâtre, reconnu pour favoriser la guérison de blessures. Qinlleh y avait également ajouté deux fioles d'eau médicinale de Sitensha, et une ampoule de contrepoison. Le sac comprenait aussi un poignard et une courte épée, dans un fourreau en cuir, ainsi qu'un talisman porte-bonheur en zairax, un cristal rare du royaume de Niruxed. Enfin, une petite bourse renfermait cinq couronnes impériales, la monnaie officielle de l'empire des Cent Royaumes, ainsi que cinq émeraudes, qui remplaçaient souvent les couronnes impériales dans les transactions moins officielles — surtout dans les royaumes éloignés du centre de l'Empire, comme Tenshâ.

Miya, qui s'était senti coupable en voyant l'arsenal thérapeutique, ne put s'empêcher de rire en ramassant le porte-bonheur dans l'herbe. Le vieux clerc avait un sens de l'humour assez bizarre. Ou alors, il était superstitieux — ce que personne n'avait soupçonné jusqu'à présent.

Bien entendu, le jeune garçon possédait toujours la sinlé aux lames de cristal bleu qu'il avait reçue à titre de chevalier d'honneur de la 235e Cérémonie, même si la cérémonie comme telle semblait perdue dans les souvenirs d'une autre vie. Il transportait aussi les trouvailles insolites qu'il avait faites dans la ville de Nieslev en flammes : l'anneau doré marqué de runes et la xishâzen nâ d'une enfant nommée Tanilya.

Sur le plan vestimentaire, Miya avait troqué ses habits de cérémonie contre un ensemble de vêtements plus pratiques, quoique dépourvus de parures. Il avait ainsi pris l'aspect d'un jeune paysan tout à fait ordinaire. Qinlleh lui avait trouvé un gilet de cuir à sa taille : à défaut d'une cotte de mailles, Miya pourrait jouir d'une certaine protection corporelle s'il devait affronter de nouveaux ennemis en combat.

Le garçon soupira. Qu'allait-il choisir dans tout cela ?

Il ne pouvait pas se départir des préparations médicinales. Même si Qinlleh avait puisé dans ses réserves personnelles pour les lui offrir, et non dans celles de la ville, l'onguent et les potions auraient pu soulager la douleur de nombreux blessés à Nieslev. Moralement, Miya n'avait pas le droit de les gaspiller. Il avait déjà mauvaise conscience en les emportant.

Le jeune chevalier emplit donc ses poches du pot et des fioles, avant de trier le reste de son équipement.

Pour la bourse, c'était facile ; il n'avait qu'à l'attacher à sa ceinture. Il ne savait vraiment pas où il aurait l'occasion de dépenser les couronnes et les émeraudes, mais il était possible que sa quête dure plus longtemps que prévu et l'amène à visiter d'autres villes.

Il glissa également le poignard à sa ceinture. Un bon couteau pouvait toujours servir. Il décida cependant de laisser l'épée. Sa sinlé lui suffirait. Il mangea ensuite une ration alimentaire, et décida d'en emporter deux autres, en cas d'urgence. Il remit les autres dans le havresac, ainsi que la gourde. S'il avait soif, il n'aurait qu'à s'abreuver à la rivière ; les eaux de la Tarxë étaient froides et limpides et ne risquaient pas de se vider au pire moment.

Puisqu'il n'avait plus de place sur lui, et sachant qu'il ne désirait pas transporter le havresac, Miya renonça aussi au contrepoison. Il n'aurait qu'à ne pas manger de nourriture suspecte.

Restait le talisman en zairax.

Avec un sourire, l'adolescent le passa à son cou. C'était évidemment futile ; un morceau de cristal scintillant n'avait pas le pouvoir de rendre son propriétaire chanceux. Mais Miya ne souhaitait pas l'abandonner et se retrouver ensuite *malchanceux*…

— Je crois que je suis prêt, dit finalement le garçon à voix haute.

Il observa les champs et les collines. Il aurait le temps d'atteindre la lisière de la forêt avant la nuit, mais serait ensuite contraint de dormir à la belle étoile.

Cela me rappellera mon voyage à Inexell, songea-t-il.

Au cours du long voyage qui l'avait conduit à la ville des Épreuves de la gloire, Miya avait dû dormir sous les étoiles plus d'une fois, n'ayant pas les couronnes nécessaires pour louer chaque soir une chambre d'auberge. Il ne craignait donc pas de vivre l'expérience de nouveau.

Un sourire sardonique plissa ses lèvres. Bien sûr qu'il craignait de la vivre de nouveau. Lors du périple vers

Inexell, il ne risquait pas d'être attaqué dans son sommeil par un mercenaire en vadrouille, ou égorgé par un monstre oublié de l'armée ennemie.

En raison de ces menaces latentes, Miya ne souhaitait pas s'étendre dans l'herbe des champs pour dormir. Il profita donc des dernières lueurs du jour, alors que le deuxième soleil disparaissait graduellement sous l'horizon, pour atteindre la lisière des arbres, tout en suivant fidèlement le cours de la Tarxë. Pour sa part, la rivière nommée en l'honneur du roi légendaire restait indifférente aux périls qui menaçaient les hommes. Elle accueillerait volontiers le corps de Miya, si ses ennemis le surprenaient et décidaient de se débarrasser de lui.

Sur ses berges, un campement douteux avait été aperçu. Mais Qinlleh avait également parlé de camps dans les collines, de l'autre côté de la Nixim, plus loin dans le 1er axe.

Où était allé Nirvô?

Voilà toute la question. Manifestement, les ennemis surveillaient encore

Nieslev et ses environs ; la mésaventure du chevalier Rinyadel en témoignait. Il était donc logique de penser que Nirvô n'avait pas encore remis les Reliques convoitées à ses maîtres. Avait-il fait halte dans le campement, sur les rives de la Tarxë ? Ou s'était-il immédiatement rendu dans les collines, de l'autre côté de la Nixim ?

Miya comprit qu'il allait devoir visiter les deux endroits. Il n'avait pas le choix.

Il se mit à réfléchir. S'il avançait le long de la rivière, même sous le couvert des arbres, il ne pourrait manquer d'être aperçu par les sentinelles ennemies. Il risquait alors de subir le même sort bizarre que les 16 chevaliers, si les scélérats ne décidaient pas simplement de lui planter une flèche en plein cœur. Si Miya désirait s'approcher du campement sans éveiller immédiatement les soupçons, il devait venir d'une direction imprévisible.

Le jeune Xinjis Râ avisa la forêt. La solution était toute trouvée : il contournerait le camp ennemi et s'en approcherait par l'autre côté. Le compagnon mystérieux de Nirvô ne s'y attendrait jamais. Selon toute vraisemblance, Miya atteindrait son but sans être importuné.

Resterait ensuite à s'introduire chez les loups…

Une chose à la fois, songea Miya en marchant vers la forêt. *D'abord, brouiller ma piste.*

Tout en traversant les campagnes où s'était livrée la guerre des Ancêtres, Miya ne put s'empêcher de sourire amèrement. Les glorieux champs de bataille étaient devenus des terres agricoles. Si le vent du Souvenir existait vraiment, il ne soufflait plus que sur des épis de blé.

Qu'en diraient les guerriers de jadis, s'ils pouvaient savoir ?

Vu sous un autre angle, le saccage de Nieslev serait-il évoqué un jour, avec la même nonchalance que les conflits sanglants de ces ères oubliées ?

Que valait la vie humaine, en vérité, devant l'éternité ?…

Nirvô de Niruxed

Ce prétendu noble est un félon prêt à toutes les scélératesses. Colérique et rancunier, il déteste tout particulièrement Myalrel.

© 2009 Mylène Villeneuve

Chapitre 17

Miyalrel avait trouvé un buisson dense sous lequel dormir relativement en sécurité. En pleine nuit, il s'était senti protégé, conscient que personne ne pourrait deviner sa présence dans les fourrés. Il s'était toutefois réveillé avant l'aube, pris d'un soudain accès de nervosité. Les ennemis, comme Miya le savait, n'étaient pas tous humains. Les mercenaires avaient des monstres à leur service, et l'une de ces créatures pouvait toujours rôder dans le sous-bois.

L'adolescent n'était pas parvenu à se rendormir.

Alors que la lumière de l'aurore s'infiltrait dans la forêt, Miya quitta sa cachette. Il ne servait à rien de vouloir somnoler davantage. Sa mission devait reprendre.

Avant de se remettre en route, le jeune garçon ouvrit le pot d'onguent que Qinllch lui avait offert. Il y trempa deux doigts, et appliqua un peu de baume sur les blessures qui lui faisaient encore mal. Elles guériraient vite, mais il ne fallait pas espérer un miracle. La douleur persisterait pendant six ou sept jours, surtout s'il aggravait les plaies en exerçant les muscles blessés.

Un frisson parcourut lentement son échine. À la lumière du jour, il venait de constater, pour la première fois, la précarité de son abri. Hier, au crépuscule, il avait cru que les buissons étaient sombres et impénétrables aux regards. Il voyait maintenant qu'il n'en était rien. S'il avait fait la grasse matinée, une patrouille ennemie aurait facilement pu déceler sa présence, surtout en raison de sa chevelure insolite. Il ne poussait guère de fleurs bleues et blondes dans les forêts du Royaume, quelle que soit la saison.

Sans doute un remerciement aux dieux d'Inyëlh était-il de mise, mais Miya y renonça. Au cours des derniers jours, les dieux n'avaient guère été cléments pour les hommes.

Rangeant le pot d'onguent curatif dans sa poche, il rassembla son équipement, prit une grande inspiration pour se donner du courage, et se mit en route. Dorénavant, il était seul. Seul contre des ennemis sans scrupules qui n'avaient pas hésité à enflammer une ville entière, pour s'approprier quelques trésors.

L'adolescent jeta un dernier regard triste derrière lui. Au-delà de la lisière des arbres, des colonnes de fumée montaient toujours des quartiers dévastés de Nieslev.

Miya ferma les yeux. Tournant le dos à la cité qu'il avait appris à faire sienne au cours des dernières années, il s'enfonça dans la végétation.

Et tressaillit en tombant nez à nez avec une bête grotesque.

— I... Inyëlh! s'exclama le jeune garçon avec horreur et effroi.

La créature était sortie d'un buisson, et avant cela, du huitième cercle de Qentawah. C'était un monstre abominable, une bête à la chair noircie par le feu, une horreur carnassière au front orné d'une paire de cornes. Son corps était celui d'un félin souple; ses pattes griffues, aux articulations multiples, étaient celles d'un sixis mangeur de roche, capables de lacérer du métal.

Toute sa tête n'était qu'une gueule énorme.

Devant l'abomination, Miya ne songea même pas à sa sinlé. Il tendit la main vers la kyansé accrochée à sa ceinture — et se souvint brusquement qu'il avait perdu la tige à deux cristaux dans le temple des Ancêtres, alors qu'il luttait contre Nirvô et son compagnon mystérieux.

Le monstre avançait, menaçant. Un long grognement montait de son gosier profond.

La terreur serrait le cœur de Miyalrel. Combattre un homme, même adulte, ne l'effrayait pas vraiment. Il avait confiance en ses moyens. Mais un animal représentait un danger distinct. Les réflexes d'une bête sauvage étaient rapides et imprévisibles; certaines, les plus agressives, ne ressentaient même plus la douleur lorsqu'elles étaient plongées dans la frénésie d'un combat.

Miya était prêt à parier que le spécimen devant lui faisait partie de cette catégories.

Fuir était impossible. C'était une autre raison pour laquelle les animaux étaient dangereux. Ils étaient bas sur pattes, et rapides à la course.

Lorsqu'ils étaient issus des puits infernaux, cela ne faisait qu'empirer la situation.

Tout à coup, l'horreur se précipita. Miya joua de la sinlé pour l'obliger à reculer, sans grand succès. Il dut bondir de côté, pour éviter d'avoir la cuisse lacérée par les griffes de la bête.

Alors, le jeune garçon vit qu'il se tenait sous une épaisse branche d'arbre.

Il observa nerveusement la bête hideuse. La créature l'étudiait à son tour. Oserait-il sauter et s'agripper à la branche ? La bête serait-elle assez rapide pour le mordre aux mollets ?

Miya estima que c'était sa meilleure chance de survie. Il avait déjà frappé la bête deux fois avec ses lames cristallines, sans parvenir à entailler profondément son cuir tanné. Cette créature avait été bâtie pour résister aux flammes des enfers. Elle ne succomberait pas à une sinlé.

D'un élan souple, le jeune chevalier se propulsa vers le haut. Il agrippa la branche lourde. Au même moment, pressentant la perte de sa proie, le monstre attaqua. Désespérément, Miyalrel se hissa sur la branche, soulevant ses jambes le plus haut possible.

À la consternation du jeune garçon, l'horreur sauta.

Avec un cri de frayeur, Miya imprima un élan violent à tout son corps et asséna un coup de pied aux énormes mâchoires de la créature. Pendant un moment, il fut convaincu que sa jambe tout entière allait disparaître entre les crocs de la bête. Il eut toutefois de la chance. La gueule puissante se referma, mais ne mordit que l'air.

En un rétablissement, Miya se hissa complètement sur la branche basse. Lorsqu'il vit la bête se précipiter vers le tronc et racler l'écorce de ses griffes, il décida prudemment de se hisser plus haut dans l'arbre, au cas où le monstre trouverait le moyen d'atteindre son refuge improvisé.

Assis à califourchon sur une branche, dos contre le tronc, le jeune garçon tenta de calmer les battements endiablés de son cœur. Manifestement, le monstre ne savait pas grimper aux arbres. Miya l'avait donc échappé belle, même s'il avait trouvé le moyen de rouvrir sa blessure au flanc.

L'horrible créature resta au pied de l'arbre pendant plus de deux heures. Pendant tout ce temps, Miya ne put que ronger son frein. Cela lui permit de soigner sa plaie de son mieux, limitant ainsi la perte de sang, mais il commençait maintenant à trouver le temps long. Qu'allait-il faire, si la bête plantait ses pénates là-dessous ? Risquait-il d'être prisonnier de son arbre jusqu'à la saison des pluies ? Il s'estimait heureux que la créature, malgré son aspect de machine à dévorer, ne soit pas réellement omnivore. Miya avait dû abandonner sa sinlé dans l'herbe, et il n'aurait pas aimé qu'elle soit broyée entre les crocs d'un monstre enragé.

Presque trois heures après sa rencontre infortunée, le jeune Xinjis Râ tendit l'oreille. Avait-il entendu des voix ? Était-il possible qu'on vienne à son secours ?

La bête avait entendu aussi. Elle avait cessé de tourner en rond autour de l'arbre. À présent, elle grognait de plus belle, les yeux rivés sur un point particulier dans la forêt.

Alors, Miya tressaillit. Une flèche venait de siffler et de se planter dans le tronc de l'arbre.

— Ouste ! espèce de saleté ! ordonna une voix colérique.

À la surprise du garçon, la créature courba l'échine et obéit à l'ordre reçu. Elle s'éloigna de l'arbre, manifestement à contrecœur, et disparut dans la végétation. Miya, en revanche, ne bougea pas de sa position. Il ne fallait pas être un sage éminent, pour comprendre que les nouveaux venus faisaient partie des forces ennemies.

L'adolescent se tassa contre le tronc. Il voulait se faire minuscule, se fondre dans le feuillage. Malheureusement, les mercenaires n'avaient qu'à jeter un coup d'œil vers le haut pour constater sa présence. Ses cheveux bleus le feraient immédiatement repércr.

Les hommes s'approchaient inexorablement. Miya savait maintenant qu'ils étaient trois ; il pouvait les voir bouger entre les branches. Il s'agissait probablement d'une patrouille ennemie. D'ailleurs, il entendait déjà leurs paroles.

— … serai content, lorsque ces horreurs seront retournées dans leurs limbes.

— Dis-le-moi. Pourquoi faut-il mettre de tels monstres de notre côté ?

— Il faut s'y résigner. Faites comme moi, et ignorez-les. Tant qu'ils sont assez bien entraînés pour nous reconnaître et ne pas nous attaquer, je me fiche d'eux.

— Ouais… Facile à dire.

Les hommes marchèrent en silence pendant quelques secondes ; ils s'approchaient toujours plus de la cachette de Miya. Peut-être le tireur voulait-il récupérer sa flèche. Si c'était le cas, ils passeraient juste en dessous de lui. Un simple regard vers le haut, et…

Ma sinlé! songea le garçon avec horreur.

Elle était là, droit sous ses pieds, dans l'herbe haute. Il discernait claire-ment le scintillement de ses lames cris-tallines. Sa belle sinlé allait le faire repérer — et il ne l'aurait même pas à sa portée pour se défendre!

Le cœur de Miya battait la chamade. C'en était fait de lui. Il n'y échapperait pas.

Pourtant, il demeura caché. Si le porte-bonheur de Qinlleh avait le moindre pouvoir, c'était le moment de le montrer, car désormais, seule une veine insolente pouvait encore tirer ses fesses du feu.

— Nous perdons notre temps, se plaignit un mercenaire.

— Il suffit de s'assurer que les sur-vivants de cette ville ne montent pas une expédition punitive contre nous.

— Ils n'ont pas déjà essayé? J'ai entendu dire qu'Ugyùs les avait…

— Rien ne les empêche de réessayer en petits groupes… De toute façon, ils ne peuvent plus vraiment nous nuire. Ce qu'il nous fallait, nous l'avons déjà.

— Quelque chose dans le temple des Ancêtres, c'est cela ?

— Apparemment.

Celui qui avait posé la question ralentit un peu son allure.

— En passant… Vous ne trouvez pas cela étrange ?

— Quoi ?

— Regardez le tronc de l'arbre. Ce monstre de Qhumruc a arraché toute l'écorce. Que s'est-il passé, ici ?

Miya sentit les battements de son cœur redoubler d'intensité. Cette fois, c'était vraiment fini. Il n'échapperait jamais à leurs regards.

Pendant un moment long comme une éternité, le temps resta suspendu dans la forêt. Un silence irréel était tombé, comme si chaque chose avait été frappée de mutisme. Miya ne savait pas si c'était dû à sa propre peur débordante, mais il avait vraiment l'impression que l'Univers avait cessé de bouger.

— Crois-tu qu'il y avait quelqu'un ? demanda l'un des trois hommes.

— Peut-être, dit celui qui avait remarqué l'écorce. Les bêtes de Qhumruc sont aussi laides que leur aïeule, mais elles ont de bons instincts.

Le troisième mercenaire étudiait la forêt environnante.

— Si les hommes de Nieslev étaient encore ici, nous les verrions. Il n'y a nulle part pour se cacher. La bête a dû les faire fuir.

À l'horreur croissante de Miyalrel, l'homme leva les yeux et fouilla le feuillage du regard. Il tourna lentement sur lui-même, et dans quelques instants, il verrait assurément l'adolescent.

Un des autres forbans lui sauva involontairement la mise. Après avoir lui-même posé son regard sur la verdure, il fit entendre sa conclusion :

— Il n'y a plus personne.

À l'immense soulagement du jeune garçon, cette affirmation parut clore la discussion. Sans plus s'attarder, les trois mercenaires reprirent leur patrouille. Miya resta silencieux, rigide et immo-

bile, jusqu'à ce qu'ils aient complètement disparu.

Tandis que sa frayeur s'estompait,
son cœur retrouvait un rythme normal.
Ses poumons acceptaient de nouveau
de respirer. Il n'arrivait pas à y croire. Il
n'avait pas été vu. Les canailles n'avaient
jamais remarqué sa sinlé dans l'herbe.

Les hommes de Nieslev, avait dit le
mercenaire.

Le pire, c'est qu'il avait eu parfaitement raison. Il n'y avait nulle part où se
cacher dans les parages, *pour un groupe
de plusieurs hommes*. La présence d'un
enfant seul était cependant une possibilité à laquelle ils n'avaient jamais songé.

Ce qui avait vraisemblablement
sauvé la vie de l'enfant en question.

Miya resta plusieurs minutes dans
les branches. Il voulait se donner le
temps de recouvrer son sang-froid.
En même temps, il en profitait pour
s'assurer que les hommes et leur « bête
de Qhumruc » avaient bel et bien disparu. Lorsqu'il fut convaincu qu'il n'était
plus en danger, il se laissa choir jusqu'au

sol, sans parvenir à chasser un soupçon de nervosité.

Debout dans l'herbe, il ramassa sa sinlé et scruta la forêt autour de lui. La végétation ne trahissait aucune présence suspecte.

Ils sont partis, songea-t-il avec soulagement.

Miya ne souhaitait pas traîner dans les parages, au cas où les ennemis, mus par un pressentiment quelconque, choisiraient de rebrousser chemin et d'enquêter davantage. Il reprit donc sa route dans le sous-bois. Cette fois, il s'assura de surveiller les buissons et les fourrés. La présence d'une seconde bête de Qhumruc dans les alentours était improbable, mais Miya savait qu'il valait mieux prévenir que guérir.

Par chance, il n'y avait plus de monstres errant dans la forêt. Ni bestiaux, ni humains.

Le garçon marcha pendant près de deux heures. Pendant tout ce temps, il ne fit aucune rencontre désagréable. Il garda toutefois sa sinlé à la main, peu enclin à la ranger en bandoulière après l'incident du matin. Il s'en servit d'ailleurs pour atteindre quelques fruits qui poussaient dans un arbre, lorsque la faim se fit sentir.

Cette balade en forêt avait quelque chose d'irréel, après les horreurs des derniers jours. En ce moment même, alors que Miya observait le scintillement des soleils dans les hautes frondaisons, les blessés de Nieslev luttaient pour s'accrocher à la vie. Des patrouilles ennemies surveillaient sans doute les environs, guidées par des monstres issus tout droit de Qentawah. Nirvô avait peut-être déjà remis les Reliques du temple des Ancêtres à ses maîtres odieux.

Quelques papillons voletaient dans le sous-bois, indifférents à tout.

Loin sur sa gauche, Miya entendait, en prêtant l'oreille, le bruit des eaux de la rivière Tarxë. La forêt dense atténuait les sons ; il fallait que le fleuve soit vraiment torrentiel à cet endroit, ou que Miya lui-même s'en soit rapproché sans le vouloir. En se rappelant que la Tarxë faisait un coude en aval de Nieslev, le garçon comprit subitement pourquoi le grondement des eaux paraissait si proche. C'était la rivière qui s'était rapprochée de lui.

Peut-être pouvait-il en profiter. L'occasion était bonne pour aller y jeter un coup d'œil, histoire d'estimer la distance franchie. Il ne voulait tout de même pas dépasser complètement le camp ennemi et se voir obligé de rebrousser chemin.

Redoublant de prudence, Miya se dirigea vers la rivière. Jusqu'à présent, il n'avait pas subi le sort étrange du chevalier Rinyadel et de ses troupes. Cela devait vouloir dire qu'il était passé inaperçu. Bien entendu, cela pouvait aussi signifier qu'un piège l'attendait, mais le garçon préférait ne pas songer à toutes les situations tragiques possibles. Il y en avait trop.

Tout en s'approchant des berges de la Tarxë, Miya se remémora la géographie du Royaume. La ville la plus proche, hormis Nieslev, était Sisheel, de l'autre côté du lac Qirin. Si les ennemis se repliaient dans cette direction,

Sisheel, serait-elle la prochaine ville à succomber aux attaques meurtrières de l'armée fantôme? Ou avait-elle déjà été pillée? Après tout, Qinlleh avait bien dit que deux autres villes avaient été saccagées. C'était la raison pour laquelle les armées impériales étaient en route.

Dans le ciel, les soleils étaient au zénith. Miya avait perdu un temps considérable dans son arbre; il espérait que les ennemis n'en aient pas profité pour lever le camp.

Alors, sans plus attendre, le garçon quitta le couvert des arbres.

La forêt prenait fin à la base d'une petite butte. Ce n'était pas une colline digne de ce nom, mais un vulgaire accident de terrain derrière lequel coulait la Tarxë. Miya en gravit vite le flanc, laissant une piste sinueuse dans les herbes hautes. Lorsqu'il atteignit le sommet de l'éminence, il tressaillit violemment. Mû par un sentiment de panique, il se jeta promptement à plat ventre. Il venait d'apercevoir la vingtaine de tentes de l'autre côté de la butte, et souhaitait ardemment qu'aucune sentinelle ennemie ne l'ait aperçu en retour.

Le fameux camp — il était tombé droit dessus !

Chapitre 18

Couché dans les herbes, dissimulé aux regards indiscrets par l'exubérance de la verdure, Miya tentait de calmer de nouveau les battements de son cœur. Il n'aurait jamais l'âge vénérable de Qinlleh, s'il continuait à encaisser des surprises comme celle-là.

Évidemment, il fallait bien que le camp soit situé quelque part. Entre la Tarxë à gauche et la forêt à droite, Miya devait fatalement tomber dessus en longeant la rivière. Il ne s'attendait simplement pas à surgir du bois juste en face des tentes.

À présent, il devait prendre une décision. Il ne pouvait plus avancer ; il n'était pas assez naïf pour croire qu'il pourrait s'approcher du camp en rampant dans les herbes hautes. Deux plans d'action s'offraient donc à lui.

Il pouvait attendre la nuit. Ou il pouvait renoncer à l'idée d'entrer dans le camp.

Au minimum, une vingtaine d'hommes devaient occuper ces tentes. S'il tentait de s'infiltrer dans le campement, même en pleine nuit, il courait le risque d'être capturé. Même s'il parvenait ensuite à s'enfuir, il aurait une horde de mercenaires sur le dos.

D'un autre côté, il était entièrement possible que l'une des Reliques volées à Nieslev — voire plusieurs — soit gardée dans l'une de ces tentes grises.

Nirvô lui-même était peut-être là-dessous.

Miya décida de tenter sa chance. Mais non pas en plein jour. Il rampa à reculons, jusqu'à ce qu'il soit certain que les sentinelles du camp ne puissent plus l'apercevoir. Puis, il se redressa et réintégra la forêt. Pendant quelques minutes, il arpenta le sous-bois à la recherche d'un arbre assez haut, pour lui permettre d'épier le camp ennemi, et assez touffu, pour se soustraire aux regards indésirables.

Faisant appel à l'agilité que lui conférait sa jeunesse, le garçon escalada son deuxième arbre de la journée. Il en profita pour remarquer la teinte dorée de l'écorce, et comprit qu'il se hissait sur un chêne divin de Tenshâ. Le bois de cet arbre, très recherché, servait à fabriquer les meilleurs arcs des Cent Royaumes.

Miya aurait aimé avoir un arc, à bien y songer.

Une fois niché sur son chêne, il écarta prudemment une branche feuillue et jeta un coup d'œil en contrebas. Les 20 tentes — 18, s'il fallait les compter avec précision — étaient facilement discernables. Si les forces ennemies tentaient de s'éclipser, Miya les verrait plier bagage.

Ensuite, le jeune garçon s'adossa au tronc et se prépara à affronter l'épreuve qui mettrait ses nerfs à vif : l'attente interminable de la nuit.

Le premier des deux soleils avait finalement disparu. Son compagnon céleste, légèrement plus petit, s'apprêtait à le rejoindre sous l'horizon. Déjà, les ombres de la nuit se faisaient longues.

Dans la lumière mourante du crépuscule, les tentes avaient commencé à s'illuminer de l'intérieur. Des hommes allaient et venaient, relativement peu nombreux, mais encore capables de massacrer Miyalrel, s'ils lui mettaient la main au collet.

Fort heureusement, le jeune chevalier s'était bien camouflé dans le feuillage de son arbre. Par ailleurs, l'approche de la nuit ne pouvait que jouer à son avantage. Même si les guerriers regardaient dans sa direction, ils ne pourraient jamais l'apercevoir dans la pénombre.

Miya ne souffrait plus d'impatience aiguë. Au contraire, il commençait à remettre ses projets en question. Était-il vraiment assez brave pour se jeter dans la gueule du loup?

Pour se donner du courage, il se laissa choir de son arbre. Il quitta ensuite le sous-bois et retrouva la piste qu'il avait lui-même tracée au flanc de la petite colline.

Une fois de plus, il s'allongea dans l'herbe et épia le camp en contrebas.

La nuit était enfin tombée. Les étoiles multicolores scintillaient maintenant dans le firmament. La grande constellation du Haut Sage, proéminente en cette saison, était bien visible au-dessus de sa tête. Dans le camp ennemi, l'activité avait rapidement pris fin. Deux tentes étaient toujours illuminées. Dans les autres, les guerriers dormaient sans doute sur leurs deux oreilles, satisfaits d'une victoire facile et écrasante.

Et s'ils avaient vraiment gardé les Reliques ?

Les quatre, c'était trop demander. Mais une ? Ou deux ? Si Miya était chanceux, cela ferait immensément plaisir à Qinlleh — et cela clouerait le bec à tous ces meurtriers.

J'y vais, décida brusquement l'adolescent.

Il devait agir, ou il passerait toute la nuit à hésiter.

Prudemment, il se redressa. Dans la noirceur, sa petite silhouette devait être presque invisible. Tout en s'efforçant de rester silencieux, il descendit en prenant le versant opposé de la butte herbeuse. Quelques branchages secs faillirent trahir son approche, mais la brise nocturne, qui s'était levée alors que les soleils se couchaient, emporta au loin tous les bruits suspects.

Les hommes du camp n'avaient posté que deux sentinelles — une de chaque côté. C'était rassurant. Ce qui l'était moins, c'était l'inquiétante proximité du premier guetteur. Miya pouvait difficilement le contourner, à moins de vouloir se baigner en pleine nuit dans la Tarxë.

Le garde venait de se mettre en marche, sans doute pour se dégourdir les jambes. C'eût été tout à fait banal — s'il ne s'était pas dirigé droit vers Miyalrel.

Le jeune garçon n'eut pas le choix. Il s'affaissa à plat ventre dans les herbes, convaincu que le mercenaire décèlerait sa présence aux seuls battements de son cœur.

Les secondes s'égrenèrent dans l'angoisse.

Il doit m'avoir vu, songea Miya avec frayeur. *Il doit être en train de s'approcher de moi.*

Pourtant, il n'en était rien.

Sans démontrer le moindre doute, le veilleur s'éloigna dans l'autre direction. Pendant un long moment, Miya demeura couché. Ce n'était pas la première fois, depuis le lever du jour, qu'il devait s'accorder quelques minutes pour retrouver son sang-froid.

Lorsque le garçon eut raffermi son courage, il osa se redresser en position accroupie. Plié en deux, il se faufila ensuite jusqu'aux premières tentes.

Jusqu'à présent, il était chanceux. Peut-être *trop* chanceux. Il souhaitait que ses projets audacieux ne s'effondrent pas au cours des prochaines minutes en raison d'un caprice du destin.

Pour sortir du champ de vision de la sentinelle, Miya se glissa prudemment entre les tentes. Il avait l'estomac dans la gorge, prêt à sursauter au moindre bruit. Le bruit ténu de ses pas était couvert, en grande partie, par le vent qui secouait les pans de toile, mais rien ne garantissait que les guerriers étaient tous endormis. Une silhouette furtive se faufilant dans la nuit pouvait se remarquer assez vite, surtout si son ombre était portée sur une toile translucide.

Il s'estimait heureux que la saison des lunes soit terminée.

Dans le camp ennemi, deux tentes demeuraient éclairées de l'intérieur. Miya en avisa une, la plus proche. Agilement, il alla s'y dissimuler à l'arrière, où personne ne risquait de le surprendre. Là, agenouillé dans l'herbe, le garçon prêta l'oreille.

Il y avait deux hommes à l'intérieur. L'un d'eux venait de dire quelque chose. Miya n'avait pas saisi ses paroles, mais il comprit sans peine la réplique de l'autre type.

— En tout cas, ils ne pourront pas prétendre que nous avons été négligents. Nieslev a été proprement nettoyée !

Un rire grossier s'éleva. Puis, le jeune chevalier entendit les volets de la tente se replier alors que l'un des occupants quittait les lieux.

Décidément, la chance lui souriait. Si le guerrier inconnu était sorti alors que Miya se coulait encore d'une tente à l'autre, ils auraient pu facilement se croiser — et l'alarme aurait été donnée.

L'adolescent écouta, mais n'entendit plus la moindre parole. Il savait qu'il restait un homme dans la tente, car il voyait parfois son ombre passer sur la toile. Malheureusement, le malandrin n'était guère disposé à soliloquer. C'était dommage, car Miya était merveilleusement bien placé pour apprendre des informations pertinentes. Si seulement quelqu'un pouvait entrer dans la tente et engager une conversation de haute importance stratégique avec l'inconnu !

Rongé par la curiosité, Miya fit preuve d'audace. Il dégaina le poignard qu'il avait passé à sa ceinture et pratiqua une fine entaille dans le tissu de la tente, au ras du sol. Ensuite, couché dans l'herbe, il jeta un coup d'œil à l'intérieur.

L'homme venait de jeter un sachet sur une caisse dans un coin de la tente. Apparemment de mauvaise humeur, il se mit à manipuler quelque chose à la surface d'une table pliante. Alors, il se redressa d'un élan, comme piqué par un taon.

— *Q'fu !* Le chef voulait que je… !

Le reste se perdit en marmonnements tandis que l'homme s'empressait de sortir de la tente. Il laissa les lieux déserts.

Miya tenta de calmer sa nervosité. Cette occasion était trop belle. Ce sac de toile, que le mercenaire avait jeté sur la caisse, pouvait très bien contenir l'une des Reliques dérobées à Nieslev. Peut-être la pierre d'Inyëlh. Ou le septième évangile.

Sans réfléchir davantage, le garçon rampa sous la paroi souple de la tente. Quoique abasourdi par sa propre audace — et terrifié à l'idée d'être surpris à l'intérieur de l'abri de toile, il était toutefois galvanisé par l'espoir qui l'animait : celui de récupérer une Relique ancestrale.

Sachant qu'il était maintenant en grand danger d'être aperçu de l'extérieur, Miya se dirigea immédiatement vers le sachet abandonné.

Faites que ce soit une Relique !

L'adolescent ouvrit fébrilement le sac et versa son contenu sur la caisse en bois. Il ne contenait aucune des quatre Reliques volées — c'eût franchement été trop beau —, mais Miya fut tout de même content des trouvailles qu'il venait de faire. En plus de cinq émeraudes, il avait mis la main sur une tige à deux cristaux. Une *kyansé*.

Il était bien placé pour savoir que c'était une arme terrible. Cette tige métallique, fermée par une gemme colorée à chaque bout, pouvait tirer des rayons fulgurants. C'était avec l'une de ces tiges que Nirvô avait tué Siya sous ses yeux. Maintenant, Miya serait en mesure de lui rendre la pareille — et n'hésiterait pas à le faire.

Les cristaux de la kyansé brillaient plus intensément que ceux de l'arme similaire qu'il détenait, avant de la perdre dans le temple des Ancêtres. Cela signifiait peut-être que l'arme possédait plusieurs charges. Ou peut-être que celle-ci était simplement plus puissante.

Miya ne put réprimer un léger frisson. Le rayon émis par la kyansé de Nirvô avait complètement vaporisé le corps de Siyanlis. Était-ce uniquement parce que le forban avait atteint sa xishâzen nâ ? Ou ces armes étaient-elles réellement capables de désintégrer un être humain ?

Malgré cette pensée peu réconfortante, le jeune garçon s'assura de bien fixer la kyansé à sa ceinture. Il en aurait sûrement besoin dans un avenir proche. Pour faire bonne mesure, il mit également les cinq émeraudes dans sa bourse.

Ensuite, il fit le tour de la tente, rêvant encore à la possibilité de dénicher une Relique. L'abri ne ressemblait en rien à ceux où l'on dormait. C'était plutôt un lieu de rencontre pour commandants militaires, avec une table pliante et quelques caisses servant de chaises. Sur la table, une carte était déployée. Puisque Miya n'allait pas courir le risque d'ouvrir les caisses, avec le bruit que cela ferait, il se pencha plutôt sur le plan. Comme il s'en doutait, c'était une simple carte géographique du royaume de Tenshâ, sur laquelle deux lieux avaient été encerclés. La ville de Nieslev, et un point dans les collines au-delà de la rivière Nixim.

Ce camp avancé avait donc servi de quartier général pour l'attaque sur Nieslev.

Miya n'en apprendrait pas davantage. En outre, il commençait à mourir d'angoisse. Il savait très bien, désormais, qu'il ne trouverait aucune Relique ancestrale dans la tente. Un mercenaire avait bel et bien oublié son épée dans un coin, mais il ne s'agissait pas de l'épée de Ten. Par conséquent, il était grand temps que Miya se métamorphose en courant d'air. L'homme qui était parti accomplir une tâche pour son chef reviendrait sûrement ; lorsqu'il découvrirait que ses émeraudes et sa kyansé avaient disparu, il sonnerait vraisemblablement l'alarme. S'il ne le faisait pas, c'était que les méninges de ces forbans étaient aussi pourries que leurs âmes noires.

L'adolescent quitta donc la tente aussi rapidement qu'il y était entré.

À présent, il s'agissait de sortir du camp. Il restait bien la deuxième tente éclairée, mais le garçon pressentait qu'il jouait avec le feu. Il commençait à entrevoir pleinement les risques qu'il courait, et cela lui faisait de plus en plus peur.

En vérité, il n'aurait jamais dû venir ici. Même pour une Relique.

Telle une ombre, le jeune chevalier se glissa derrière les tentes. Il souhaitait ardemment que nulle canaille n'en sorte à un moment inopportun, car sa silhouette furtive serait assurément repérée en un clin d'œil.

Or le destin voulait qu'un mercenaire en soit déjà sorti.

Il se tenait dans l'ombre de sa tente, à un endroit où Miya, dont les yeux étaient encore habitués à la lumière, ne pouvait le distinguer. Manifestement, il avait ressenti l'appel de la nature.

Sans se douter du danger, le jeune garçon contourna l'abri de toile — et se trouva presque nez à nez avec l'homme de l'armée ennemie.

L'adolescent et le mercenaire sursautèrent tous les deux, sans pouvoir réprimer des cris de surprise. Miya sentit la terreur l'envahir. Le guerrier, pour sa part, s'exclama vulgairement :

— Mais laissez-moi pisser tranquille, crétin !

Pendant un moment, le jeune Xinjis Râ demeura interdit. L'autre, n'avait-il pas compris ?

À ce moment, la lumière se fit dans l'esprit du scélérat. Une nouvelle exclamation fusa aussitôt dans la nuit.

— Mais… qui es-tu ?

Miya n'attendit pas une seconde de plus. Il fonça aveuglément, droit devant lui.

L'homme dont il avait troublé l'intimité n'était pas sorti de sa tente avec ses armes, mais les autres, dans les abris voisins, dormaient vraisemblablement non loin des leurs. Comme s'il avait des ailes aux pieds, le jeune garçon détala à toute vitesse, contournant largement les tentes qui bloquaient sa route. Derrière lui, le mercenaire s'époumonait.

— Reviens ici! Arrête immédiatement! *Alerte!*

Ces cris ne pouvaient que réveiller tout le camp. De fait, des hommes jaillissaient de tous les pans de toile, poussant des jurons de colère.

Miya devait impérativement disparaître pendant que la confusion régnait encore.

Il ne restait que deux tentes devant lui. Il poussa l'allure. Plus qu'une. Il entendait les hommes s'élancer à sa poursuite. La dernière tente fut contournée, laissée derrière.

La nuit s'ouvrait devant le jeune garçon.

Il galopa.

Tout à coup, son cœur fit un bond incroyable dans sa poitrine. La nuit venait de vomir une forme humaine — et la lumière des étoiles fit scintiller une lame métallique dans la noirceur.

Un éclair de compréhension traversa son esprit. *L'autre sentinelle !*

Miyalrel esquiva le coup perfide d'un réflexe désespéré. Il faillit perdre l'équilibre et rouler dans l'herbe, mais réussit à garder ses deux pieds sur la terre ferme. La sentinelle voulut frapper une deuxième fois, mais le garçon savait, très clairement, qu'il ne pouvait pas rester et se battre contre le guetteur inconnu. S'il perdait la moindre seconde, tous les hommes du camp — et les femmes, s'il y en avait — lui tomberaient sur le dos. Miya s'était donc remis à courir, et le coup d'épée s'était perdu dans la nuit.

Le guerrier ne se lança pas à sa poursuite. En tant que sentinelle, son rôle n'était pas de combattre les intrus, mais de donner l'alarme en cas d'infiltration ennemie. Le branle-bas de combat avait déjà sonné ; cela n'empêcha pas le garde de vociférer à pleins poumons :

— *Alerte !* Il est ici ! Il s'enfuit !

Cela suffit à réduire la bravoure du jeune garçon à néant. À présent, il courait un grave danger. Le camp ennemi ressemblait désormais à un nid de guêpes en effervescence.

Miya se précipita vers la forêt. Les arbres représentaient son dernier espoir, car les abords de la rivière, dépourvus de végétation dense, ne lui offriraient aucun refuge.

Il avait réussi à prendre une longueur d'avance, mais les guerriers connaissaient sa position. Les armes idéales, en cette situation, étaient les arcs et les arbalètes. À cela venaient s'ajouter les tiges à cristaux rouges et bleus, les kyansés qui émettaient une lumière mortelle. Or les mercenaires ennemis possédaient plusieurs exemplaires de toutes ces armes.

En conséquence, la première flèche ne tarda guère à siffler dans les ténèbres. Elle fut suivie par plusieurs autres, tandis que les premiers rayons brûlants striaient la nuit.

La frayeur comprima la gorge de Miya. Terrorisé à l'idée de ressentir une brûlure cruelle, ou la douleur fatale d'une flèche entre les omoplates, il filait à toutes jambes. Jamais n'avait-il détalé aussi vite de toute sa vie. Lorsqu'un trait acéré le frôlait, lorsqu'un rayon d'énergie grésillait à ses oreilles, il tressaillait d'effroi et changeait désespérément de trajectoire, faisant tous les efforts possibles pour échapper à son destin. Il avait l'impression de ne jamais pouvoir cesser de courir. Pourtant, sa fuite pouvait prendre fin à tout instant. Il suffisait qu'une flèche se plante en vibrant dans sa nuque, et c'en serait fini du petit Miyalrel.

Les flèches se faisaient plus rares. Les traits de feu le manquaient maintenant de loin. Miya savait ce que cela signifiait, mais n'osait pas encore célébrer. Il fonçait toujours, comme si le salut de son âme en dépendait.

Tout à coup, il s'enfonça dans la végétation. Les branches basses fouettèrent son visage. Un immense soulagement l'envahit. Les arcs et les kyansés ne pouvaient plus l'atteindre.

Le jeune chevalier ne cessa pas de courir pour si peu. Il avait le souffle court, mais son espérance de vie s'allongeait. Il devait mettre la plus grande distance possible entre lui et le campement, de sorte à semer tout poursuivant.

Curieusement, contre toute attente, personne ne semblait le traquer.

Lorsque Miya cessa enfin sa course éperdue, il chercha à comprendre pourquoi les ennemis l'avaient laissé fuir si facilement. Étant donné leur nombre, ils auraient pu envoyer une demi-douzaine d'hommes à sa poursuite dans la forêt ; cela n'aurait pas été difficile.

Puis, il crut deviner la réponse.

C'était simple, et ironique. À la lumière des rayons fulgurants, ils avaient pu distinguer leur ennemi, même de dos. Ils avaient immédiatement compris qu'ils avaient affaire à un jeune adolescent. Et ces hommes avaient mieux à faire, surtout la nuit, que de poursuivre un enfant égaré dans les bois. Dans leur esprit, tout simplement, *un enfant n'était pas une menace.* Les prédateurs nocturnes pouvaient s'en charger, et cela mettrait un point à l'histoire.

Miya s'affaissa contre un arbre à l'écorce rugueuse, haletant désespérément. Il ne craignait pas vraiment les prédateurs du Royaume. En règle générale, ceux-ci ne rôdaient pas à proximité des villes. Or Nieslev était encore proche, et le va-et-vient des forces ennemies avait probablement fait fuir la plupart des animaux.

Difficilement, le jeune garçon reprit son souffle. Il avait survécu. Il avait fui le camp ennemi sans y laisser sa peau.

Devait-il croire aux propriétés magiques de son talisman en zairax? C'était tout à fait farfelu, mais lorsque Miya songeait à ce qu'il venait de faire, il n'en revenait toujours pas. Courir un tel risque! Il avait défié la mort, et la lutte avait tourné à son avantage. Quelques jours avant la cérémonie des chevaliers, si quelqu'un lui avait dit qu'il aurait à s'infiltrer — seul! — dans le camp

d'une armée ennemie, il aurait probablement ri au nez du prophète.

Il ne riait pas aujourd'hui.

Cette idée, de visiter un campement ennemi ; il allait s'en souvenir
longtemps !

Après la terreur de la dernière heure,
Miya était resté longuement adossé à
son arbre, dans la nuit fraîche et étoilée.
Pour la quatrième ou cinquième fois
depuis le matin, il avait attendu que son
cœur retrouve un rythme normal. Il
n'allait pas vivre vieux, si cela continuait
ainsi. L'armée ennemie n'aurait même
pas besoin de le tuer. Il ferait une crise
cardiaque avant ses 14 ans.

Puis, nerveusement, il avait repris la
marche dans la forêt, en pleine nuit, afin
de s'éloigner du camp ennemi. La belle
confiance qui l'habitait à son départ de
Nieslev avait disparu. Il avait déjà rencontré plus de périls mortels qu'il
escomptait. Par ailleurs, il savait que les
dangers qui l'attendaient étaient pires

encore. S'il atteignait la base ennemie dans les collines, de l'autre côté de la rivière Nixim, il allait devoir se frotter à Nirvô — et à ses maîtres.

Il allait probablement échouer.

Pourtant, cette pensée ne le fit pas reculer. S'il échouait, il serait tué. Et s'il périssait…, il reverrait Siya dans la sphère de paradis.

Siyanlis. C'était encore la seule pensée qui le poussait de l'avant. C'était pour elle, pour châtier ses meurtriers, que Miya avait quitté Nieslev les armes à la main. Pourtant, déjà, il ressentait un grand vide dans son cœur. Après la colère, après la vengeance, que resterait-il ? Siya était sa seule et meilleure amie. Si elle était restée en vie, il aurait franchi le dernier cercle de Qentawah pour la sauver. Mais il ne restait personne à secourir.

Quand Nirvô aura payé… que resterait-il ?

Faudrait-il que Miya meure aussi, pour connaître le bonheur d'Inyëlh, pour revoir Siya dans les rêves d'éternité ?

Il faisait nuit autour de lui, mais le garçon pressentait qu'une nuit encore plus noire le guettait. La nuit douloureuse de la solitude. Une nuit sans lumière, qui ne finirait jamais.

Envahi par la lassitude et le chagrin, il s'appuya à un nouvel arbre. Puis, il s'allongea dans l'herbe, séchant ses larmes. La lumière des étoiles scintillait à travers les branches.

Il ventait.

Les branches dansaient au ralenti dans la brise nocturne. Elles ondoyaient avec une patience infinie, remplaçant la tristesse de Miyalrel par un état d'hypnose proche du sommeil. Le temps passait, mais le petit Xinjis Râ n'en avait plus conscience. Il ne dormait pas vraiment, mais on ne pouvait guère dire qu'il était éveillé non plus.

Il rêvait à sa petite sœur.

Et des larmes coulaient de ses yeux fermés.

Chapitre 19

— *Miya...* Le jeune chevalier se réveilla en sursaut.

C'était l'aube. Toutefois, dans sa torpeur, Miya ne voyait même pas qu'un nouveau jour s'était levé. Une bourrasque complètement irréelle s'était levée ; un vent impossible qui traçait des cercles dans l'herbe, avec une force presque sauvage.

Et juste à cet instant... *Il vit une silhouette...*

Le garçon secoua les brumes du sommeil qui troublaient encore ses pensées. Puis, il constata, avec une nouvelle incrédulité, qu'il ne ventait plus du tout.

— J'ai rêvé ?...

Miya secoua la tête une deuxième fois. Pouvait-il vraiment avoir halluciné ? Ce vent surnaturel, cette apparition fugace, n'avaient-ils appartenu qu'au domaine mystérieux des songes ?

Nerveusement, il s'approcha de l'endroit isolé où le vent avait fait rage.

Il n'avait pas rêvé.

L'herbe était aplatie, balayée en cercles concentriques. Un véritable petit ouragan s'était déchaîné à l'instant, sur cette unique parcelle de terre. Nulle part ailleurs. Pourtant, au-dessus des frondaisons, Miya ne discernait qu'un ciel bleu, dépourvu de nuages.

Un cyclone par beau temps? Et un cyclone miniature de surcroît?

— Le vent du Souvenir... C'était donc cela?... C'est ce que Qinlleh voulait dire?...

Le garçon ne savait plus à quoi s'en tenir. Il commençait toutefois à ressentir une vague appréhension. Il reconnaissait la sensation. La peur de l'inconnu. L'angoisse primordiale ressentie par les hommes, lorsqu'ils se heurtent à l'inexplicable.

Il fallait qu'il quitte cet endroit. Il n'avait pas le temps d'enquêter, de tirer la situation au clair, car le lever du jour risquait de tout remettre en question. Si les armées ennemies levaient le camp et s'évanouissaient dans la nature, ce serait probablement aujourd'hui. Par contre, si les mercenaires de la veille décidaient finalement de traquer Miya dans les bois, il faudrait que le jeune garçon mette la plus grande distance possible entre lui et le camp posté sur les berges de la Tarxë. S'il était rattrapé en plein jour, ce serait sa fête.

Sans tarder, l'adolescent traversa la petite clairière dans laquelle il avait passé la nuit, avant de s'enfoncer de nouveau dans les profondeurs verdoyantes de la forêt.

Il n'avait pas regardé derrière lui. C'était peut-être préférable, car le vent du Souvenir s'était levé une fois de plus.

Et cette fois, la silhouette imprécise était parfaitement visible.

La lisière des arbres n'était plus loin. Miyalrel entendait déjà les vagues de la rivière Nixim. De l'autre côté, dans les collines, les légions ennemies avaient établi leur base. Disait-on.

Miya ne savait plus quoi espérer. Si les ennemis avaient vraiment établi leur quartier général dans les collines, il se jetait purement et simplement dans la gueule du sixis. Il n'en sortirait jamais vivant, même avec la bénédiction d'Inyëlh, elle-même. Mais si l'armée fantôme manquait au rendez-vous, il aurait perdu la trace de Nirvô de Niruxed, ainsi que toute chance de récupérer les Reliques sacrées du temple des Ancêtres.

Que ferait-il alors?

Plongé dans ses pensées contradictoires, il franchit la lisière des arbres en silence. Il avança alors dans une large étendue herbeuse. Devant lui, la rivière Nixim démontrait la fougue de son courant violent. Affluent de la Tarxë, ses eaux étaient encore plus tumultueuses, et son lit, profondément gravé dans la terre par l'érosion. Ses eaux froides descendaient des hautes collines qui couvraient le royaume de Tenshâ, dans les 4e et 5e axes. En cette saison, elles pouvaient être redoutables.

Selon ce qu'en savait Miya, il existait un pont en aval. Toutefois, oserait-il l'emprunter ? Des sentinelles ennemies y seraient sûrement postées, puisque toute expédition punitive partant de Nieslev à pied serait contrainte de l'emprunter.

En revanche, la Nixim n'était pas aussi « petite » qu'on le laissait souvent croire. À côté de la Tarxë, elle était effectivement étroite, mais il serait ardu et téméraire de vouloir la traverser à la nage. De toute façon, Miya ne savait pas nager. Ce petit secret embarrassant était normalement bien gardé, mais il était inutile de se mentir à lui-même.

Au moins, la destination du jeune chevalier était maintenant claire. Il avait une vue splendide sur les premières collines aux versants fleuris, illuminées de biais par le premier soleil levant. Quand le deuxième astre paraîtrait à son tour, le double jeu d'ombre et de lumière commencerait, et les collines pourraient alors être admirées sous leur vrai jour.

Miya s'arrêta pour réfléchir. Cela ne lui arrivait pas souvent — il était constamment poussé par le besoin d'agir —, mais il savait faire travailler ses méninges, lorsqu'il le fallait. Il existait une vieille coutume dans le royaume de Tenshâ. Qinlleh lui en avait parlé une fois. Sur les rives de toutes les rivières, on trouvait des barques attachées aux arbres, ou traînées sur les plages. Tout voyageur était libre de s'en servir ; il n'avait qu'à attacher l'embarcation sur l'autre rive, après l'avoir utilisée. La coutume datait d'une époque où le roi fondateur de Tenshâ avait voulu se rebeller contre les taxes de l'Empereur, en rendant la majorité des biens et des services gratuits dans le Royaume. Ses politiques n'avaient guère survécu à son règne — lequel fut assez court, ce qui n'avait rien de surprenant —, mais l'idée des chaloupes laissées sur les berges des rivières et des fleuves était curieusement restée.

Miya se demanda s'il devait en chercher une. Pouvait-il vraiment être si chanceux ? Surtout, les ennemis pouvaient-ils avoir complètement négligé cette possibilité ?

J'aime mieux ça qu'aller me faire cribler de flèches sur le pont, songea-t-il.

D'ailleurs, il n'était plus certain de l'existence du pont. Il le confondait peut-être avec celui sur la rivière Zivon. Il fallait avouer que le garçon ne s'était jamais tant éloigné de Nieslev, dans cette direction particulière.

Miya descendit dans la fosse que la rivière Nixim avait creusée au cours des siècles. Sur les berges escarpées du torrent, une végétation abondante poussait. Malheureusement pour lui, elle était formée en grande partie de ronces épineuses.

Avec des grimaces, le jeune Xinjis Râ traversa les buissons récalcitrants, récoltant au passage une vaste gamme d'éraflures et de piqûres. Ses efforts furent toutefois récompensés, lorsqu'il aperçut parmi les joncs la silhouette d'un canoë en bois de garam imputrescible.

Un sourire éclaira son visage. Les ennemis n'avaient pas songé à couler ou à escamoter toutes les embarcations laissées sur les rives à l'intention des voyageurs. Il devait certainement y en avoir beaucoup, si Miya en avait trouvé une si vite.

Pendant un moment, le garçon hésita, flairant le piège.

Pourtant, il n'y avait personne sur l'autre berge, et nulle part où se cacher. Il était impossible qu'un archer ennemi le guette, même du haut de la colline. Miya le verrait.

Cette réflexion chassa les dernières hésitations du jeune chevalier.

Au prix d'un effort soutenu, il arracha le canoë à la gangue de glaise qui s'était refermée sur sa coque, et poussa le frêle esquif à l'eau. Il sauta agilement à l'intérieur, saisit l'unique aviron, et se mit à souquer ferme.

Pendant cinq ou six minutes, il rama vigoureusement vers l'autre berge. Le courant puissant l'inquiétait quelque peu. Il savait très bien, le petit Miyalrel, que la nage ne faisait pas partie de l'éventail de ses talents, même s'il le cachait aux autres. Selon les marins de Milstrem, la noyade était une belle mort, mais Miya ne désirait pas en faire l'expérience.

Finalement, le jeune garçon franchit la rivière en diagonale, laissant le courant, lui-même, lui apporter son soutien, au lieu d'essayer de lutter contre lui.

Quinze minutes après avoir mis le canoë à l'eau, Miya sauta sur une étroite grève rocailleuse de l'autre côté de la Nixim, au pied de l'une des premières collines vertes. Ses bras étaient fatigués. Le maniement d'une sinlé était gracieux et fluide ; la force musculaire ne jouait pas un rôle important, et pouvait même nuire à la parfaite maîtrise des deux lames. Ramer, en revanche…

Miya traîna son esquif sur la berge, afin de le retrouver sur le chemin du retour. À la suite de cet ultime effort, il s'affala dans l'herbe fraîche et s'accorda une pause méritée. Il devait admettre que son courage lui avait fait défaut, pendant un moment, au milieu du torrent. Il avait failli être pris de panique ; il avait dû se maîtriser et réprimer sa frayeur avant de pouvoir reprendre la traversée de la rivière.

Peut-être devrait-il apprendre à nager. Juste au cas.

Le regard du jeune garçon se leva naturellement vers la colline qui le dominait. Il était maintenant officiellement en territoire ennemi. Il allait devoir redoubler de prudence, car l'absence de toute cachette allait désormais jouer contre lui.

« Je ne comprends pas pourquoi il n'y a pas de sentinelles », songea Miya avec inquiétude.

Tout à coup, l'herbe bougea.

L'adolescent bondit sur ses pieds et attrapa sa sinlé. Il venait de voir la créature qui courait dans l'herbe, si l'on pouvait appeler « courir » ce mouvement de reptation sur de nombreux tentacules mous, qui animait la chose grotesque. Miya avait vu de tels monstres à Nieslev. Il avait appris, de source plus ou moins fiable, qu'on les appelait des « xilsh dévoreurs ». Leur nom faisait songer au bruit d'un crapaud écrasé sous un talon.

Il allait à merveille à ces outres de chair sans organes précis, qui ouvraient une demi-douzaine de gueules salivantes.

La voilà, la sentinelle, songea-t-il avec amertume.

L'immonde créature se propulsa dans les airs. Miya l'avait aisément prévu. Ces monstres ne possédaient aucune intelligence. Ils faisaient toujours la même chose : sauter à la gorge. S'il y en avait eu une demi-douzaine, elles auraient inévitablement fini par l'égorger, mais la bête infernale était seule. Sans doute les créatures de son espèce étaient-elles dispersées dans les collines, prêtes à attaquer quiconque tenterait de parvenir jusqu'au camp ennemi.

Comme un certain petit Xinjis Râ.

Lors de son premier combat contre un xilsh, Miya avait eu de la chance. Du moulinet de sa sinlé, il avait tranché la bête en deux. Par la suite, il avait échappé à deux monstres semblables, de justesse, en leur claquant une porte au visage. Ici, il n'y avait pas de portes.

Miya songea brièvement à sa kyansé. Il y renonça tout aussi vite. La bête était trop vive. Elle aurait toutes les chances d'esquiver le trait de feu. Dans l'ardeur du combat, le garçon, lui-même, n'était pas certain de pouvoir viser l'affreuse créature avec précision.

Il s'en remit donc à sa fidèle sinlé.

Dès le deuxième assaut du monstre, il voulut répéter le geste qui lui avait fait remporter la victoire dans le temple du Monument enflammé. Cette fois, cependant, la lame de cristal bleu frôla les tentacules, sans blesser la chose hideuse. Elle retomba dans l'herbe et sauta une troisième fois, sans marquer le moindre temps d'arrêt. Miya fut incapable de réagir assez vite. Elle lui atterrit en pleine poitrine et se mit à lui grimper à la gorge.

Avec un cri de frayeur, le jeune garçon l'agrippa de sa main gauche et tomba à la renverse, éloignant les crocs de la bête de son cou pendant quelques précieuses secondes. Elle lui mordit les doigts, mais il n'aurait lâché prise pour rien au monde. C'était sa main ou sa gorge.

Mû par l'énergie du désespoir, il empoigna le couteau qu'il avait glissé à sa ceinture. Avec une violence née de la panique, il poignarda l'immonde sac de chair plusieurs fois, jusqu'à ce que la lame passe complètement à travers le monstre et lui pique la poitrine. Une grimace de douleur déforma les traits de Miyalrel. Il s'était blessé lui-même.

L'instinct de conservation était entré en action; il n'avait pas frappé assez fort pour s'enfoncer le couteau dans le cœur. Cependant, il avait réussi à percer son gilet de cuir et à s'entailler la peau du thorax. À présent, il ne pouvait s'empêcher de craindre que les jus fétides de la créature ne contaminent sa plaie.

Hâtivement, Miya se redressa. Son poignard embrochait toujours la bête hideuse; il les jeta tous les deux dans l'herbe. Puis, il retourna à la rivière et nettoya la blessure de son mieux. Il en profita pour soigner sa main; la créature lui avait presque dévoré l'auriculaire gauche.

Une fois les plaies lavées à l'eau fraîche, il déboucha l'une de ses fioles d'eau médicinale et avala la moitié de son contenu. Il commençait à regretter d'avoir délaissé le contrepoison. Qui pouvait savoir quel venin sournois ces créatures inoculaient à leurs victimes ?

Prudemment, le jeune garçon revint en direction de la créature empalée. Il devait récupérer son poignard ; l'arme lui avait déjà sauvé la vie une fois.

Tout en retirant la lame des chairs immondes, réprimant un frisson de dégoût, Miya ne put s'empêcher d'étudier le corps flasque du monstre. Il songeait encore à la bête de Qhumruc, avec laquelle il avait eu maille à partir. D'où sortaient ces abominations qui semblaient être sous l'emprise des forces ennemies ? On aurait pu croire que Nirvô et ses maîtres avaient signé un pacte dans les cercles de Qentawah, échangeant leurs âmes contre le soutien des forces infernales !

La rage envahit le jeune chevalier. Combien d'innocents ces scélérats tueraient-ils encore ? Combien périraient

dans la terreur et la souffrance?
Combien de victimes comme Siyanlis,
sa chère petite sœur, si personne ne les
arrêtait?

Miya posa un long regard sur la
colline voisine. Il n'y avait pas de forêts
denses de ce côté de la rivière. Si les
ennemis s'étaient réellement regroupés
là, ils ne pourraient pas se cacher.

— J'y vais, dit-il avec détermination.
Pour toi, Siya.

Il remarqua alors... qu'il ventait.

— Encore?...

Inquiet, Miya observa les alentours.
Il cherchait à déterminer la source de la
bourrasque mystérieuse. Il avait déjà
pressenti que ce vent-là n'était pas
naturel.

— Là! s'exclama-t-il.

Non loin de lui, une rafale violente
écrasait les herbes, traçant un cercle
toujours répété avec une sorte de fureur
aveugle. À cet endroit, seulement. Partout ailleurs, les herbes se balançaient
doucement dans une brise très douce,
presque imperceptible.

La spirale de vent fou se déplaçait à flanc de colline, sans but apparent. Cette fois, cependant, Miya était pleinement réveillé et parfaitement lucide, ce qui lui permettait de comprendre que ce phénomène inexplicable était à la base de toutes les légendes. Le vent du Souvenir était une anomalie météorologique. Toutefois, le xilsh dévoreur aurait pu renaître et danser une pirouette avant que Miya comprenne l'origine de ce vent irréel. Rien dans ses connaissances ne lui permettait d'expliquer cette anormalité.

Alors, sans avertissement, un contour transparent apparut. L'esquisse fugace d'une silhouette humaine. Et dans l'instant qui suivit, le vent tomba instantanément.

Miya demeura immobile, statufié par la stupeur.

— Ce n'est pas un phénomène météorologique, murmura-t-il d'une voix blanche.

Son cœur battait à tout rompre. Il ne savait pas s'il avait vraiment peur, mais même la bête qu'il venait de tuer, dans toute son horreur, ne l'avait pas paralysé à ce point. Contre un monstre, Miya savait se défendre. Contre une manifestation spectrale, une sinlé, même aux lames de cristal bleu, ne valait pas grand-chose.

Mais s'agissait-il d'une apparition d'outre-tombe ? En plein jour, sous les soleils ? Ceux qui voyaient des fantômes les apercevaient habituellement la nuit, ou dans les dernières lueurs d'un jour mourant, en sortant de quelque taverne avant de traverser le cimetière du village. Pas en plein soleil, au milieu d'une trombe de vent.

Cela me suit, songea Miyalrel avec une frayeur soudaine.

S'il comptait la mystérieuse rafale de vent qu'il avait cru ressentir après avoir quitté Nieslev, dans les champs de la 8e guerre des Ancêtres, cela faisait maintenant trois fois qu'il avait affaire au vent du Souvenir. Ce n'était sûrement pas une coïncidence. Quelque chose s'était attaché à ses pas. Quelque chose que le garçon n'était pas en mesure d'expliquer.

Tout à coup, Miya tressauta violemment.

Tout à sa fascination, il n'avait pas prêté attention à son entourage. Or il venait de voir deux silhouettes humaines — et celles-là étaient tout à fait visibles, solides et concrètes. Elles étaient apparues au sommet de la colline, pendant que Miya avait les yeux rivés sur la région d'herbe aplatie où le spectre était apparu. Elles descendaient maintenant le flanc herbeux dans sa direction, marchant avec assurance.

L'adolescent sentit aussitôt toute sa colère renaître. L'homme qui se tenait sur la droite était son ennemi juré. Celui qui avait tué sa meilleure amie.

Nirvô de Niruxed.

Le scélérat sourit cruellement.

— Ils m'avaient dit que quelqu'un s'approchait, mais j'ignorais qui aurait l'audace de venir nous défier. Comme on se retrouve… *Miyalrel*.

Chapitre 20

Nirvô paraissait beaucoup trop calme et posé. Un faux sourire plissait ses lèvres.

— Alors, Miya-*shi*... Tu t'es lancé à ma poursuite ?

Le sourire du forban s'élargit d'un cran. Il fit jouer sa sinlé d'une main.

— Tu crois peut-être que tu peux me battre ?

Le mépris dégoulinait des paroles de Nirvô. La mise au défi était claire. Mais Miyalrel réagit de manière imprévue.

Au lieu de soupeser sa propre sinlé et d'adopter une position de combat, il planta son arme à la verticale dans l'herbe, s'empara de la kyansé à sa ceinture, leva l'arme mortelle et la pointa entre les yeux de Nirvô. C'était avec une arme identique qu'il avait tué Siyanlis. Il était juste qu'il meure à son tour de la même façon. En ce moment, Miya se moquait éperdument de son statut de chevalier et de faire une entorse aux règles de l'honneur.

La première fois, il avait attendu. Il n'avait pas immédiatement eu recours à sa kyansé. Cela lui avait finalement coûté toute occasion de s'en servir, lorsqu'il avait été contraint de lâcher la tige redoutable dans le Temple enflammé.

Cela lui avait peut-être même coûté la vie de Siyanlis.

Cette fois, le garçon n'hésita pas. Sa main se crispa sur le joyau rouge à une extrémité de la tige métallique. Aussitôt, la gemme bleue à l'autre bout émit une lance de lumière destructrice. Avec une sonorité stridente, le trait de feu traça un sillon éblouissant dans l'atmosphère.

Dès qu'il avait vu Miya lever sa kyansé, Nirvô avait réagi en croisant les bras devant son visage. Le sourire n'avait jamais quitté ses lèvres.

Deux bracelets à ses poignets s'illuminèrent violemment. La lumière ardente heurta un bouclier invisible et explosa dans une gerbe de flammèches bleues, laissant Nirvô indemne.

— Un écran de Qirnà, dit le scélérat en souriant méchamment. Tu me prends pour un imbécile, Miyalrel?

Puis, son sourire torve se déforma, trahissant la rage et la cruauté qui animaient réellement le forban. Il leva une main unique, celle à laquelle il manquait désormais deux doigts.

— Tu m'as fait cela… Tu as osé me mutiler… Mais si tu crois que cela me rend invalide, tu te trompes gravement! Cette fois, c'est ta *tête* qui roulera par terre — et je la botterai moi-même jusqu'au milieu de la rivière!

Débordant de colère, Nirvô maniait sa sinlé de sa main indemne, lui faisant subir toutes sortes de rotations compliquées. Pendant ce temps, son comparse, un guerrier anonyme de l'armée ennemie, prenait quelques pas de recul. Il allait simplement jouir du spectacle. Après tout, il savait très bien que Miya ne pouvait pas gagner. Un enfant n'allait pas tenir tête à l'un des plus grands sinléyas du royaume de Niruxed, même fraîchement amputé de deux doigts.

Miyalrel, pour sa part, revoyait le visage terrorisé de Siya. Il imaginait la souffrance qu'elle avait dû ressentir au moment de mourir, complètement désintégrée. Un brûlant désir de vengeance emplissait son âme. Lorsqu'il ouvrit la bouche, le cri qui jaillit de sa gorge était un hurlement de rage et de détresse.

Riant comme un fou, Nirvô frappa sauvagement. Il savait qu'il avait l'avantage, que le chagrin et la douleur de Miya lui feraient perdre la maîtrise remarquable de son arme. Il était parfaitement capable de manier sa sinlé d'une main ; il avait parfois besoin de l'autre pendant une ou deux secondes, mais s'il envisageait la satisfaction qui serait sienne, après avoir tué le petit chevalier, il pouvait endurer la douleur de ses doigts coupés. Il n'aurait même pas besoin d'utiliser ses meilleures techniques. Aveuglé par sa peine, le jeune garçon viendrait se faire tuer de lui-même.

Nirvô en demeura convaincu, jusqu'à ce que Miya s'accroupisse subitement dans l'herbe.

En un éclair, le misérable comprit ce qu'il voyait.

C… cercle du Vent ? Comment ce petit xarlep a-t-il…

Nirvô plaça sa sinlé à la verticale, grinçant des dents en serrant les deux mains contre son arme. Le coup en hélice ascendante que Miya avait « emprunté » à un sinléya ennemi, voilà trois jours seulement, se heurta à l'obstacle qu'il venait d'ériger, mais le forban dut relâcher sa prise avec un glapissement de douleur. Sa main blessée n'avait pas la force nécessaire pour encaisser une attaque pareille. Les sinlés s'entrechoquèrent, provoquant des étincelles, et les deux combattants se retrouvèrent face à face. Des larmes mouillaient les joues de Miyalrel, mais ses yeux brillaient de colère, pour Nirvô. Il n'allait pas abandonner.

Le prétendu noble serra les dents. Ce petit fils de sijjiroth en avait dans le ventre. Le tuer devenait impératif. S'il continuait à s'amuser avec lui, Nirvô, lui-même, risquait gros. Mais il n'était plus question d'employer ses vraies techniques. Sa main esquintée n'était plus qu'une masse de chair engourdie de douleur.

Nirvô recula d'un pas. Il voulait se donner le temps de réfléchir à la meilleure façon de tuer cet enfant hargneux. Il avait sa propre kyansé, mais il savait qu'il s'en voudrait toujours s'il s'en servait pour gagner. Il voulait triompher en plein *combat*. Il voulait prouver à cette mauviette, avant de l'envoyer pleurer au paradis, que le meilleur sinléya était *Nirvô de Niruxed*.

Tout à coup, Miya se précipita à sa rencontre.

— Petit xarlep ! hurla le forban avec fureur.

Les armes se heurtèrent avec une sonorité aiguë. Plusieurs coups s'échangèrent à la vitesse de l'éclair. Avec rage, Nirvô constata que c'était *lui*, avec ses 26 ans d'expérience au combat, qui perdait du terrain. Il se faisait proprement corriger. Si les juges des Épreuves de la gloire avaient assisté à cette passe d'armes, ils auraient unanimement accordé les points à Miyalrel.

Cet enfant aux cheveux bizarres lui donnait une superbe leçon de combat à la sinlé.

Nirvô commença à suer. Il ne se battait pas pour rigoler. Ce n'était pas un tournoi. Le petit Xinjis Râ brûlait d'envie de l'étriper. Dans le Temple, lui, Nirvô, avait délibérément tué son amie d'enfance. À présent, l'âme et la sinlé du jeune garçon hurlaient vengeance.

Non, songea-t-il avec une rage renouvelée. « Je ne me ferai pas tuer par ce fils de… ! »

Miya leva les yeux et croisa le regard noir de son ennemi. L'autre avait perdu tout son sang-froid. C'eût été le moment idéal d'en profiter, si l'adolescent avait conservé un iota de sa propre maîtrise de soi. En l'occurrence, il se battait dans le même but que le renégat : pour tuer.

Il imprima une rotation violente à sa sinlé. Une lame de cristal bleu fendit l'air.

Nirvô para le coup. D'une seule main.

Ce ne fut pas suffisant.

La longue sinlé du scélérat quitta ses doigts. Pendant un instant, l'arme fut suspendue dans les airs, hors de l'emprise de Nirvô. Presque au ralenti, Miya vit la main de son ennemi se tendre pour l'attraper en plein vol. Dans cette fraction de seconde, le forban était sans défense ; le combat appartenait à Miyalrel.

Le jeune chevalier n'eut aucune hésitation. Ce criminel devait payer pour la mort de sa petite sœur. Siyanlis serait *vengée*.

Soudain, il sentit un mouvement sur sa gauche. Une silhouette se déplaçait.

L'autre homme ! comprit-il à l'ultime seconde.

La lame d'une épée siffla au ras de sa poitrine, fissurant le tissu de son chandail et entaillant la surface de son gilet de cuir. Le jeune garçon cria de surprise. À cet instant, sa propre sinlé faillit lui échapper également.

Nirvô rugit.

— *Ne te mêle pas de ça !* hurla-t-il, assénant un coup de pied au milieu du torse de son allié et l'envoyant bouler dans les herbes.

Obnubilé par le besoin aveugle de tuer son jeune vis-à-vis, il frappa sauvagement. Cette fois, le petit chevalier n'eut pas les réflexes nécessaires pour parer le coup.

L'attaque de Nirvô fendit la poitrine de Miya de l'épaule au ventre. Sans l'épais gilet de cuir dont Qinlleh l'avait paré, il aurait été tué net. Le vêtement protecteur était littéralement tombé en deux morceaux, révélant une longue estafilade écarlate sur la peau du garçon. De cette mince entaille émanait une douleur cuisante et lancinante.

La violence du coup avait jeté Miya sur le dos. Il gisait maintenant dans l'herbe aux pieds de son ennemi, une main serrée sur sa sinlé, et l'autre, sur la blessure douloureuse qui fendait son thorax. Des larmes coulaient de ses yeux. Ce n'était pas la douleur physique, cependant, qui le faisait pleurer ainsi. Ces larmes coulaient pour Siyanlis.

Il ne pourrait jamais venger la mort de la fillette. Dans quelques instants, Nirvô l'embrocherait sur sa sinlé, et Miya connaîtrait, lui aussi, la beauté éternelle de la sphère de paradis. Comme l'avait craint Qinlleh, il était beaucoup trop jeune pour vaincre un ennemi aussi cruel.

— S... Siya... murmura-t-il en sanglotant. P... pourquoi?...

Devant la mort, il avait perdu tout espoir.

De son côté, Nirvô voyait clairement que le temps était venu de porter le coup de grâce. Sa victoire n'était pas satisfaisante à ses yeux, mais il s'en contenterait. Il avait gagné; en temps de guerre, c'était tout ce qui comptait vraiment. S'il se débarrassait discrètement du mercenaire qui l'accompagnait, il pourrait ensuite raconter n'importe quoi.

D'une main, le félon leva sa sinlé à la verticale.

— Maintenant, Miyalrel de mon cœur, tu vas me faire plaisir. Tu vas mourir! Sais-tu, je suis vraiment content que tu sois venu ici. Depuis que tu m'as fait disqualifier à Inexell, je n'ai rêvé qu'à te faire ravaler ton « talent », petit sinléya de pacotille.

Il humecta ses lèvres.

— Dis-moi, veux-tu perdre la tête tout de suite ? Ou aimes-tu mieux t'accrocher à la vie pendant que je te coupe en morceaux ?

Miya serra une main ensanglantée sur sa sinlé. S'il le fallait, il lui porterait un dernier coup. Il aurait peut-être de la chance. Il réussirait peut-être à le blesser une dernière fois. Il arriverait peut-être à l'estropier. Ou même, contre toute attente, à le tuer d'un seul coup.

La sinlé de Nirvô siffla.

Miya roula de côté en poussant un cri perçant. Une douleur brûlante accompagna le sillon sanglant qui était apparu sur son flanc. À travers ses larmes, le garçon comprit subitement la vérité. En dépit de ses belles paroles, Nirvô savait exactement comment il comptait mettre fin à ce combat. Ce tueur fou allait le torturer à mort !

Nirvô frappa de nouveau. Miya gémit et cria. Il leva un bras, geste futile, pour se protéger. Le forban éclata de rire.

— Alors? Il n'est plus très fier, le petit chevalier!

Les joues mouillées de larmes, l'adolescent crispa le poing sur sa sinlé. Il devait lui porter un dernier coup. Un dernier coup pour *venger Siya*.

Un sourire immense fendit le visage de Nirvô. Il hurla de toutes ses forces :

— *Crève, Miyalrel!*

Et le vent se leva avec une violence inouïe.

Chapitre 21

Pendant un instant, Nirvô resta immobile, sinlé levée bien haut, les yeux fixés sur un point, juste au-dessus de Miyalrel — ou plutôt, juste *derrière* Miyalrel. Son compagnon s'était levé également, le visage tordu par l'incrédulité. Le silence était irréel.

On n'entendait que le souffle furieux du vent.

Soudain, *une terreur abjecte descendit sur Nirvô de Niruxed*.

— N... non ! hurla-t-il.

Les yeux écarquillés, il désigna la source du vent d'un doigt rigide.

— *Va-t'en ! Va-t'en !*

Laissant échapper sa sinlé, Nirvô recula en trébuchant. Il roulait des yeux fous d'épouvante. Comme mû par une pensée subite, il fouilla frénétiquement sa ceinture. Il parvint finalement à saisir sa kyansé, cette même tige de métal avec laquelle il avait tué Siyanlis.

D'une main tremblante, il braqua l'arme en direction de la chose qui était apparue derrière Miya. Sans même réfléchir, le meurtrier tira quatre fois consécutives, surchauffant l'air et vidant complètement la charge énergétique de son arme.

— *Va-t'en !* criait-il d'une voix affolée. *Tu es morte !*

Frappé d'incrédulité, le jeune garçon mit un instant terriblement long à comprendre. Puis, il tourna la tête. Lentement. Sans vouloir y croire.

Il ventait toujours très fort.

Au centre du vent, elle était là. Très calme.

— Siya ?…

Un sourire énigmatique s'épanouit sur le visage de Miyalrel, sans empêcher ses larmes de couler de plus belle.

— *Siya ?…*

C'était vraiment elle. Sa petite sœur. La petite fille de neuf ans au visage délicat, que tous les prêtres du temple des Ancêtres adoraient comme leur propre fille.

Mais Siya n'était plus du tout charmante. Enveloppée d'une trombe surnaturelle de vent, les cheveux soulevés en vaste auréole bleue par la violence du cyclone, elle transperçait Nirvô d'un regard infiniment noir, comme si elle avait vraiment le pouvoir de le terrasser sur place.

Les rayons destructeurs ne lui avaient rien fait.

Le prétendu héros de Niruxed céda finalement à l'épouvante. Comme s'il avait tous les démons de Qentawah aux talons, il s'enfuit d'un pas désordonné dans les collines, promptement suivi de son compagnon. Ni l'un ni l'autre ne songeaient plus à s'occuper de Miya — ce même Miya que la joie avait fait fondre en larmes en dépit du sang qui recouvrait son corps.

— *Siyyaaa !*

Alors, l'expression de la petite fille perdit toute sa sévérité. Elle se tourna vers Miyalrel, son meilleur ami au monde, et lui offrit un sourire radieux.

Elle était vivante. Siyanlis était vivante.

En dépit de toutes les blessures que Nirvô lui avait infligées, le garçon trouva la force de se relever, laissant traîner sa sinlé et celle de son ennemi dans l'herbe. Il courut en vacillant vers Siyanlis. Autour d'elle, il ne ventait plus. Miya n'en avait cure. Le vent du Souvenir pouvait disparaître à tout jamais, à condition que Siya reste avec lui.

Lorsque la petite fille parla, sa voix laissa transparaître un soupçon de tristesse.

— Miya, je sais que tu voudrais me serrer dans tes bras... mais tu ne pourras pas.

— Que veux-tu dire?

— Touche-moi... Tu verras.

Miya le fit, mais il avait déjà compris. C'est pourquoi il n'exprima aucune véritable surprise, lorsque sa main traversa celle de Siyanlis.

— Tu... Tu es vraiment morte, Siya?

La petite fille rit joyeusement.

— Mais non! Je suis plus vivante que jamais!

Cette fois, le garçon dut admettre qu'il ne comprenait pas du tout. Siyanlis, qui voyait tout ce que la situation avait d'extraordinaire, expliqua sans se faire prier.

\- Quand j'ai reçu ce rayon d'énergie en plein dans la gorge, *quelque chose s'est produit*. Je me suis réveillée dans un monde à part, dans une sorte de... dimension transparente. Je n'étais plus fatiguée. Je n'avais plus mal. Pour la première fois de ma vie, je me sentais pleine de vitalité !

Miya n'était toujours pas certain de comprendre.

— Une dimension transparente ?...

— Je ne sais pas, avoua Siyanlis. Un monde où tous les points de l'espace sont visibles. Une dimension qui n'existe pas... ou qui existe partout à la fois. Après avoir tourné en rond pendant quelques jours, en essayant de comprendre ce qui m'arrivait, j'ai tenté de te rejoindre, mais tu te déplaçais toujours d'un endroit à l'autre. J'ai mis du temps à comprendre comment il fallait que je... enfin, comment il fallait que je « bouge », pour redevenir visible.

Siya tournoya à toute allure sur elle-même, faisant voltiger ses longs cheveux bleus.

— Miya, c'est incroyable ! Je me sens forte ! Je peux courir, sauter, danser, sans me fatiguer du tout ! C'est comme si je vivais une nouvelle vie !

Tout en parlant, Siya sautait joyeusement dans les airs, chose qu'elle n'aurait jamais pu faire auparavant. Quant à Miya, il savait exactement ce qu'elle ressentait. Depuis qu'il savait que sa petite sœur était encore vivante, il avait lui-même l'impression de vivre une nouvelle vie.

Désormais, plus rien ne pourrait l'arrêter. Lui et Siya seraient ensemble à tout jamais !

La fillette regarda attentivement son bras tendu, comme si elle espérait voir à travers.

— C'est quand même dommage. Nous pourrons nous revoir dorénavant, mais je n'existerai plus pour toi — et tu n'existeras plus pour moi. Nous serons des amis fantômes.

— Fantôme ou pas, tu es vivante. C'est tout ce qui compte, Siya. Tu seras toujours ma petite sœur, même si tu vis dans une dimension transparente.

Siya ferma les yeux et sourit gentiment. *Amis, à jamais*, songea Miya.

— Ne me fais plus jamais cela, Siya. Ne pars plus jamais sans moi.

— Ne plus partir ?

La fillette sourit tendrement.

— Je ne pourrai probablement pas tenir une promesse comme celle-là. Mais si tu préfères, je peux en tenir une autre.

L'adorable petite fille se pencha vers l'avant, ses yeux pétillants rivés sur ceux de Miya.

— Même si je pars, *je promets de toujours revenir !*

Un sourire de mépris plissait les lèvres exsangues de Yoolvh.

— Alors, Nirvô de Niruxed ... Tu fuis, devant deux enfants ?

Le renégat avait encore les pupilles dilatées. Il avait presque succombé à un arrêt du cœur. Il était de l'ordre religieux de Rimka Sen, pour qui l'apparition d'un spectre d'outre-tombe était un signe avant-coureur de la damnation de Qentawah. Lorsque le revenant prenait l'apparence d'une victime récente, la vision laissait présager le châtiment ultime.

— Cette petite fille, balbutia-t-il finalement. Elle est morte ! *Morte !*

Yoolvh ne s'émut guère.

— Comment peux-tu en être certain ?

— *Parce que je l'ai tuée !* s'écria Nirvô, hors de lui. Elle est morte en hurlant, sous mes propres yeux ! Son corps a été complètement désintégré !

Tout en débitant ce flot de paroles hargneuses, il brandissait sa tige à deux cristaux, désormais vide d'énergie. Cette fois, le maître aux yeux jaunes était fortement sceptique. Affichant un mépris renouvelé, il parla sur un ton condescendant.

— Tu voudrais me faire croire qu'une seule charge de kyansé a désintégré une petite fille ? Elle devait être vraiment très petite. Disons, comme cette pustule qui te tient lieu de cervelle.

Laissant glisser l'insulte, Nirvô crispa une main sur sa kyansé, désormais inutile.

— C'était une petite Xinjis Râ. J'ai atteint sa pierre de vie. Je l'ai touchée juste là, dans le creux de la gorge. Elle est morte *devant moi* !

Cette fois, une lueur passa dans les yeux normalement morts de Yoolvh.

— Une Xinjis Râ ?... Et tu dis qu'elle est morte ?... *Désintégrée ?*

— Complètement vaporisée ! ragea Nirvô. Mais elle est *revenue* !

Un grand sourire plissa les lèvres exsangues de l'être cruel. Il venait de comprendre.

— Elle est revenue ? *Ha, ha, ha, ha, ha !* Nirvô, mon pauvre Nirvô. Tu ignores donc tout de nos projets ? *Bien sûr, qu'elle est revenue.* N'est-ce pas précisément la raison pour laquelle nous avons besoin de cette Relique ?

Le scélérat grinça des dents. Il n'aimait pas être ridiculisé par Yoolvh. Toutefois, il avait subi l'humiliation et devait en assumer les conséquences. Quitte à prendre, à la première occasion, une revanche terrible sur le petit Miyalrel et son amie fantôme.

Ruminant sa colère, Nirvô quitta son maître.

Et le rire de Yoolvh éclata de nouveau ; un rire dément, cruel, qui trahissait dans son âme le besoin de tuer, le besoin de détruire, jusqu'à ce qu'il ne reste plus rien…

Miyalrel a retrouvé sa raison de vivre : Siya est saine et sauve ! Elle sera désormais sa compagne très spéciale dans une tentative désespérée pour retrouver les Reliques disparues. Lequel des précieux trésors les forces ennemies désiraient-elles vraiment s'approprier ? Et lesquels le jeune chevalier pourra-t-il récupérer ? Pour l'apprendre, ne manquez pas le deuxième tome des aventures de Miya et Siya, les Enfants d'un autre ciel.

Extrait du tome 2
de la série Les enfant d'un autre ciel

LE DIEU DE LA FOUDRE

Chapitre 1

Haut dans le ciel, les deux soleils déversaient leurs rayons chaleureux sur Miyalrel et Siyanlis. Les deux enfants étaient toujours au pied des premières collines, de l'autre côté de la rivière Nixim, à l'endroit exact où leur combat contre Nirvô s'était achevé par la mise en déroute de ce dernier. Siya était parfaitement visible, comme si elle se tenait vraiment devant Miya. Personne n'aurait pu deviner, en la voyant, qu'elle n'appartenait pas réellement aux dimensions physiques de Xhoromag.

En s'agenouillant auprès de son ami, la jeune fille examina les blessures qu'il avait subies.

— Ce Nirvô t'a mis dans un sale état, Miya.

Le regard inquiet de la fillette s'attardait sur une blessure en particulier, la plaie au flanc, qui avait beaucoup saigné. Siya ne pouvait lui apporter aucun secours véritable, mais Miya ne lui faisait aucun reproche. Les circonstances étaient décidément exceptionnelles, et de toute évidence, sa petite sœur se faisait du souci pour lui.

Le garçon grimaça alors qu'une nouvelle douleur irradiait de ses plaies.

— Qinlleh m'a donné des produits médicinaux. Je ne suis pas en danger de mort.

Siya mordilla sa lèvre inférieure. Elle étudiait toujours les nombreuses lésions que son ami avait subies en peu de temps. Au cours du combat, Nirvô avait réussi à lui asséner un coup qui aurait dû s'avérer mortel, n'eût-ce été de l'épais gilet de cuir porté par le jeune garçon. La sinlé lui avait tout de même

balafré la poitrine, de l'épaule au nombril. Même s'il ne s'agissait pas d'une
blessure mortelle, la douleur devait être
considérable.

Siya jeta un regard compatissant sur
son ami.

— Tu n'es peut-être pas en danger
de mort, mais tu saignes de partout. Tu
as dû passer à un poil d'un voyage pour
Inyëlh. Promets-moi de ne plus risquer
ta vie comme ça.

Malgré lui, Miya pouffa de rire.

— Et toi, alors ! Ce n'est pas moi qui
suis devenu un fantôme !

— Je ne suis pas un fantôme, protesta la petite fille en faisant la moue.

Le jeune garçon eut un sourire
tendre.

— Tu m'as sauvé la vie, Siya, en
apparaissant comme cela.

Siyanlis répondit en riant.

— Il fallait bien que je te fasse
connaître ma situation ! Tu n'aurais pas
pu rester à Nieslev une journée de plus ?
J'aurais pu trouver le moyen de réappa-
raître sans devoir arpenter la moitié du
Royaume à ta poursuite.

Puis, elle prit un air plus sérieux.

— Ce Nirvô de Niruxed... Où l'as-tu rencontré? Il semblait te connaître assez bien dans le temple des Ancêtres.

L'adolescent hocha la tête.

— Je l'ai croisé aux Épreuves de la gloire d'Inexell. Il était inscrit à la compétition de sinlé. Personne ne semblait l'aimer beaucoup; il prenait de grands airs et se croyait plus noble que l'Empereur. Nous nous sommes affrontés en quart de finale. Lorsqu'il a vu qu'il aurait trop de difficultés à me vaincre loyalement, il a tenté un coup illégal. Juste après, alors qu'il venait d'être averti par l'arbitre, il a délibérément tenté de me frapper sur ma xishâzen nâ. C'est à ce moment-là que les juges l'ont disqualifié. Ils ont voulu l'accuser de félonie et le radier des épreuves, mais ils n'avaient pas suffisamment de preuves.

— Parce qu'il ne t'a pas touché, dit Siya avec dépit. S'il avait fendu ta pierre de vie, tu aurais pu en mourir.

Le garçon acquiesça.

— Je suis convaincu qu'il le savait, mais qu'il était trop fâché pour s'en soucier. Je crois qu'il a perdu la raison et qu'il a simplement ressenti le besoin de m'apprendre une leçon.

Miya fit une pause, puis se ravisa.

— Ou plutôt, c'est ce que je *croyais*. Lorsque je l'ai revu dans le temple des Ancêtres, j'ai changé d'avis. S'il s'est allié à cette armée de tueurs, c'est qu'il a toujours été un tueur. Aux Épreuves de la gloire, il a *vraiment* essayé de m'enterrer.

Il observa l'image étonnamment réelle de Siyanlis.

— Ensuite, dans le Temple, il t'a brutalisée, même s'il savait que tu étais sans défense. Puis, il t'a tuée sans la moindre hésitation.

— Je ne suis pas morte, lui rappela Siya en souriant.

Tome 2

Tome 2
LES ENFANTS D'UN AUTRE CIEL

LE DIEU DE
LA FOUDRE

Martin Charbonneau

A•A
éditions

www.ada-inc.com
info@ada-inc.com